CATALOGUE
DES IDÉES REÇUES
SUR LA LANGUE

Marina Yaguello

CATALOGUE
DES IDÉES REÇUES
SUR LA LANGUE

Éditions du Seuil

TEXTE INTÉGRAL

ISBN 2-02-066966-8
(ISBN 2-02-057799-2, 1ʳᵉ publication poche)

© Éditions du Seuil, avril 1988

www.seuil.com

à Stèphe

AVERTISSEMENT

L'astérisque qui accompagne certains termes
lors de leur première occurrence signale des
concepts qui seront développés plus loin. Les
termes techniques sont repris dans un glossaire
en annexe. Enfin, les notes étant réduites au
strict minimum, les ouvrages de référence sont
regroupés dans une bibliographie thématique
en fin de volume.

Le sentiment
de la langue

Le langage humain — et les langues dites *naturelles* qui en sont la manifestation — constitue un univers à la fois familier et étrange. Familier, parce que l'homme ne se conçoit pas autrement que comme sujet parlant ; étrange, parce que le langage nous offre aujourd'hui encore autant de mystères que de problèmes résolus.

D'où vient le langage ? Pourquoi prend-il la forme de langues différentes ? Pourquoi les langues changent-elles ? Les langues reflètent-elles une logique naturelle ? Quel est le secret du rapport entre la langue et la nature, entre la langue et la culture ? Ces questions, ou plutôt ces énigmes, sont à l'origine de mythes comme celui de la langue adamique ou celui de la dispersion des langues à Babel, d'innombrables œuvres de réflexion philosophique — de Platon à Rousseau en passant par Descartes —, de théories fantasmatiques sur l'origine du langage, de créations chimériques de langues universelles.

Mais il est un domaine où la réflexion sur la langue occupe une place qui, bien que plus modeste, est tout aussi significative, c'est celui de la vie quotidienne des « locuteurs ordinaires ». Parce que la langue est le bien commun de tous, chacun de nous, sujets parlants, se fait une certaine idée de la langue, idée qui se traduit par des *jugements de valeur* que le linguiste professionnel, habité par le souci de l'objectivité scientifique, est amené à taxer d'idées reçues et de préjugés.

De la diversité naît le besoin de classer, de comparer, d'opposer et donc de hiérarchiser les langues comme on l'a toujours fait des races, des peuples ou des individus. Le « locuteur naïf » n'est guère capable de prendre ses distances avec la langue. Il l'investit tout au contraire de valeurs affectives, esthétiques et morales et porte sur elle un regard teinté de son expérience personnelle et des préjugés de son époque et de son groupe social. Il cherche à l'humaniser en quelque sorte en lui attribuant des qualités et des défauts : telle langue est belle, harmonieuse, musicale, telle autre est laide, dissonante. Telle langue est plus logique ou plus proche de la nature des choses que les autres, telle langue est noble, telle autre vile ou impure. L'évolution d'une langue est conçue le plus souvent comme dégénérescence et non comme progrès. Le français brille par sa clarté. L'italien ou le russe sont des langues musicales. Les langues africaines sont simples, l'anglais est facile, le chinois n'a pas de grammaire. Les langues sans tradition littéraire ne sont pas des langues mais de vulgaires dialectes, etc. Autant d'idées reçues qui traînent un peu partout et dont certaines sont loin d'être innocentes. S'y ajoutent des jugements sur les locuteurs eux-mêmes : les Slaves sont doués pour les langues, pas les Français ; les Noirs sont incapables de prononcer les *r* ; les locuteurs de langues « primitives » sont dotés de mentalités « prélogiques », etc.

Face à la langue, le sujet parlant adopte ainsi trois types d'attitudes :

1) *explicative*, conduisant à des rationalisations, à des tentatives de théorisation, ainsi par exemple sur l'adéquation du genre grammatical et du genre naturel, sur l'origine des mots et des langues, etc. ;

2) *appréciative*, se traduisant par des jugements sur la beauté, la logique, la clarté, la simplicité de telle ou telle langue ;

3) *normative*, s'exprimant par l'opposition à toutes les formes de « corruption » de la langue.

Ce sont ces différentes modalités du rapport des locuteurs à la langue que révèlent les idées reçues dont on trouvera ici le catalogue.

Ce n'est pas vraiment au nom de la scientificité qu'on peut s'élever contre ces conceptions naïves. Tout sujet parlant après tout a le droit de cultiver ses fantasmes.

Catalogue des idées reçues sur la langue

Pour moi, linguiste, cette « linguistique spontanée » doit être combattue seulement dans la mesure où les préjugés, les simplifications, les idées fausses qu'elle véhicule peuvent présenter un danger de nature idéologique, nuire à la compréhension de l'autre, donner des arguments à toutes les formes de racisme, contribuer à l'obscurantisme. C'est là l'objet de ce petit livre.

Vous qui êtes
linguiste !

Dites, vous qui êtes linguiste, qu'est-ce que ça veut dire, « apophtegme » ? Et des anacoluthes, c'est quoi ? Vous qui êtes linguiste, qu'est-ce qu'il faut dire : « Elle a l'air idiot », ou « Elle a l'air idiote » ? Les élèves ne savent plus écrire le français ! Vous qui êtes linguiste, qu'est-ce qu'on peut faire ? Vous qui êtes linguiste, d'où ça vient, « divan » ? C'est un mot turc ou persan ?

Désolée ! Confrontée à un mot inconnu, je fais comme vous, j'ouvre mon dictionnaire. Et, si vous avez besoin de conseils sur le bon usage, le *Grevisse* est là pour ça. Contrairement à une illusion trop répandue dans le public, un linguiste n'est pas forcément la personne la mieux placée pour vous expliquer la règle de l'accord des participes. Un linguiste n'est pas un grammairien prescriptif* ni un puriste*, arbitre du bon usage. Jamais il ne manifeste contre le changement* linguistique et la croisade contre le franglais* n'est pas son affaire. Un linguiste ne

15

s'occupe pas de la langue telle qu'elle devrait être, mais de la langue telle qu'elle est, dans la diversité de ses formes et dans son usage vivant chez tel ou tel groupe de locuteurs. Bien que souvent sollicité, il n'a pas à prendre parti dans les querelles idéologiques, socioculturelles, dont la langue est l'enjeu. Il peut lui arriver, certes, de s'exprimer à titre personnel sur le destin de sa langue maternelle ou de participer à une démarche d'aménagement concerté de la langue dans le cadre de ce que l'on nomme aujourd'hui les *politiques linguistiques*, mais il sort dans ces deux cas de la sphère de la science du langage proprement dite.

Un linguiste n'est pas non plus quelqu'un qui connaît l'origine de tous les mots. Il ne s'intéresse pas nécessairement à l'histoire de la langue. Le savoir étymologique, si prisé dans notre société, comme en témoignent les rubriques spécialisées dans la presse, n'est qu'une fraction du champ de l'étude de la langue. On peut très bien aborder un système de langue à un moment donné de son histoire sans se préoccuper le moins du monde des états antérieurs de ce même système. C'est le grand linguiste genevois Ferdinand de Saussure qui a imposé au début de ce siècle la distinction fondamentale entre *synchronie* (l'étude de la langue à un moment donné) et *diachronie* (l'histoire de la langue).

La curiosité étymologique procède de la conscience qu'a tout sujet parlant que la langue évolue, ne reste jamais stable. La langue sollicite ainsi la réflexion et les interrogations du locuteur confronté au pourquoi du changement. Mais ce n'est pas la tâche fondamentale du linguiste aujourd'hui de répondre à ces interrogations. Ce que la grammaire historique, dont est issue la linguistique moderne, a apporté pour aborder ce problème, c'est la notion de *système*. Toute langue est organisée en systèmes et en sous-systèmes régis par des *lois*. Le changement n'a donc pas un caractère anarchique. C'est ce que ne comprend pas toujours l'étymologiste en chambre, l'amateur de mots, habité par les fantasmes de la reconstruction des origines et à qui il manque trop souvent l'esprit de système.

« Vous qui êtes linguiste, vous devez parler beaucoup de langues... » C'est vrai, la connaissance, même de seconde main, d'un grand nombre de langues est un avantage appréciable pour la réflexion linguistique. La curiosité et l'amour des langues poussent la plupart des linguistes à s'intéresser à des langues aussi diverses que possible. Mais les linguistes ne sont pas pour autant des polyglottes, prêts à épater la galerie. On peut au demeurant exercer sa réflexion sur une seule langue, puisqu'il est possible d'appréhender le langage à travers n'importe quelle langue naturelle. Aussi surprenant que cela puisse paraître pour un non-linguiste, il n'est même pas indispensable de parler une langue pour pouvoir la décrire. Nombre de langues dites « exotiques » ont été, sont encore décrites par les méthodes de la *linguistique de terrain*. Le linguiste, armé de son savoir théorique et d'un magnétophone, travaille alors avec l'aide d'un *informateur* bilingue qui est, lui, un locuteur natif* de la langue étudiée. Cette approche a, il est vrai, des limites, mais c'est souvent la seule possible, car une forme d'impérialisme culturel sévit dans la science du langage, comme dans bien d'autres domaines. Les langues les mieux décrites aujourd'hui sont celles des peuples dominants, pour la simple raison que ceux-ci forment davantage de linguistes, qui sont en mesure de travailler sur leur langue maternelle* à partir des théories les plus avancées. C'est pourquoi l'anglais est actuellement la langue sur laquelle porte le plus grand nombre de travaux scientifiques. Rassurons-nous : le français est également abondamment décrit. Dans les pays multilingues, on peut dire que l'intérêt scientifique porté aux différentes langues nationales reflète l'importance de celles-ci sur le marché de la communication. Ainsi, au Sénégal, les « petites langues* » sont volontiers laissées aux ethnolinguistes non natifs, souvent européens, alors que le wolof, langue dominante parlée par près de quatre-vingts pour cent de la population, est étudié par de nombreux linguistes tant sénégalais qu'étrangers.

Entre la nature
et la culture

> Toutes nos langues sont des ouvrages de l'art. On a longtemps cherché s'il y avait une langue naturelle et commune à tous les hommes. Sans doute, il y en a une, et c'est celle que les enfants parlent avant de parler.
>
> JEAN-JACQUES ROUSSEAU

Base de toute vie sociale, la langue est généralement considérée comme faisant partie du patrimoine culturel d'un peuple. Le fait même que les langues diffèrent leur assigne un rôle *différenciateur* entre cultures. Une langue n'est pourtant ni un produit culturel ni une institution. En effet, à aucun moment nous ne voyons l'homme inventant la langue, l'instituant. Une société peut se doter de formes de gouvernement ou de coutumes ; elle ne peut se doter d'une langue, sauf dans des situations très exceptionnelles comme la fondation de l'État d'Israël ; encore ne s'agissait-il pas d'une langue créée *ex nihilo*, mais de la sécularisation d'une langue sacrée, l'hébreu ancien.

Ce paradoxe n'a pas vraiment été perçu tant qu'on a pu croire qu'il avait existé, à l'origine de l'humanité, une langue primitive qui aurait été soit un don de Dieu, soit l'œuvre de la nature. Cette croyance a inspiré bien des recherches, jusqu'à la fin du dix-neuvième siècle. Les partisans de l'origine divine s'étaient fixé comme but de retrouver la langue d'Adam et Ève, la *lingua adamica*, tandis que des esprits plus rationnels s'efforçaient de découvrir l'origine de toutes les langues dans les bruits de la nature.

On attribue à un pharaon de l'ancienne Égypte, ainsi qu'au roi Frédéric II de Prusse, une expérience aberrante consistant à isoler un enfant nouveau-né de tout « bain linguistique » afin de découvrir quelle serait la langue parlée spontanément par un individu élevé à l'état naturel, langue qui aurait été alors celle du premier homme. On imagine leur déception.

Le terme de *langue naturelle*, encore utilisé aujourd'hui, se fait l'écho lointain de ces conceptions. Ce terme particulièrement trompeur n'a de sens que si on l'oppose aux *langues artificielles* — langues inventées par des utopistes ou langages de l'informatique — qui sont, elles, des produits culturels.

Mais, à une conception naturaliste dépassée, on ne saurait opposer pour autant une conception étroitement culturaliste. En réalité, la langue échappe à l'opposition nature/culture ou plutôt elle réalise la synthèse de la nature et de la culture, en tant que manifestation du *langage*. Les termes de *langue* et *langage* sont couramment utilisés — à tort — de façon interchangeable. Bien des langues (l'anglais, par exemple) ne possèdent d'ailleurs qu'un seul mot là où nous disposons de deux. Cette confusion reflète justement notre désarroi et notre incapacité à classer le phénomène langue. Nombre d'aptitudes innées, donc *naturelles* chez l'homme, ne se développent que dans un environnement *culturel*. La marche bipède et la communication verbale, c'est-à-dire le langage, en sont deux exemples. Les enfants sauvages, élevés par des animaux, marchent à quatre pattes et ne parlent pas. Ils possèdent l'aptitude au langage, mais ils ne la projettent pas dans une langue. Et il ne saurait en être autrement.

On peut soutenir jusqu'à un certain point l'analogie entre la marche bipède et le langage, comme réalisation culturelle d'une aptitude naturelle. Mais il reste que les langues s'opposent entre elles par une spécificité qui n'est ni un donné de la nature ni un produit de la culture, tout en traduisant l'unicité fondamentale du langage humain. Ce caractère irréductible constitue encore aujourd'hui un défi et une énigme pour qui veut comprendre ce qu'est une langue.

Ce que nous donne la nature, ce n'est pas la langue, c'est l'aptitude au langage. Ce que nous donne une culture, c'est la possibilité d'acquérir la langue qui caractérise celle-ci. Mais l'homme n'a que très

21

peu de moyens d'agir sur sa langue, même s'il a toujours été tenté de le faire. Une langue ne se gouverne pas par décret. « Le prince peut donner droit de cité aux hommes, pas aux mots », disait Pomponius Marcellus à l'empereur Tibère.

La planète
des langues

« Quelle jolie planète vous avez là ! Combien de
langues y parle-t-on ? » s'exclame le héros d'un célè-
bre roman de science-fiction [1] en posant le pied sur
la Terre. Et, en effet, il semble aller de soi que les
langues parlées actuellement sur la surface du globe
puissent être énumérées et dénombrées. Or, il n'en
est rien, et la question de notre extraterrestre met-
trait dans l'embarras un linguiste. Il ne saurait y
répondre avec précision ; pour une raison fondamentale : une langue est par définition un *ensemble flou*.
Savoir combien de langues sont parlées sur la Terre,
cela suppose qu'on sache ce qu'est une langue,
comment en cerner les frontières et lui donner une
étiquette : ça, c'est du français ; ça, c'est du chinois ;
ça, c'est du turc, etc. Cela suppose qu'on sache distinguer entre une langue, un dialecte, un patois, un
parler.

1. *L'Enchâssement*, de Ian Watson, Paris, Calmann-Lévy, 1974.

On ne peut aborder la question *quantitative* sans passer par l'aspect *qualitatif*, et c'est là que les problèmes commencent, car ce qui peut passer (aux yeux de certains) pour un vulgaire patois de ce côté-ci des Pyrénées peut fort bien être langue littéraire, officielle et nationale au-delà (c'est le cas du catalan). Dénombrer les langues du monde revient ainsi à régler les problèmes de *statut*, ce qui relève plus de la politique que de la linguistique. Cela suppose aussi que tous les parlers soient *autonomes* et *standardisés*, qu'ils se prêtent à une « mise en boîte », au moins le temps de décrire et de poser une étiquette. Or, c'est loin d'être le cas, et nous ne savons pas toujours comment découper le *continuum dialectal* (l'ensemble des variétés mutuellement compréhensibles d'une même langue) tout simplement parce que nombre de parlers, tout en étant connus, ne sont pas encore décrits. D'autre part, même décrits, ils n'ont pas forcément été « institués » comme entités séparées. Ceci peut paraître surprenant. En effet, il n'existe plus guère sur la Terre de lieu où une forme d'administration « moderne », c'est-à-dire de type centralisateur et totalisant, n'ait pas pénétré. Il est probable que tous les groupes humains, aussi isolés soient-ils, ont été identifiés et recensés. On ne découvre plus de peuples. Partout, les hommes sont devenus des citoyens. Et pourtant, les linguistes ne sont pas en mesure d'affirmer : « Il existe x langues dans tel pays. » A la question : « Combien de langues sont

parlées au Zaïre ? » par exemple, ils répondent :
«Plus de deux cents.» «Combien de langues sont
parlées en Inde? — Environ huit cents.» Tout ce
qu'on peut raisonnablement avancer, c'est que le
nombre de parlers différents est en diminution
constante et que le patrimoine linguistique de l'humanité s'appauvrit. Certaines langues ne sont plus parlées que par quelques dizaines ou quelques centaines
d'individus, comme c'est le cas de la plupart des langues indiennes du Grand Nord canadien. La diversité des langues, souvent perçue comme une
malédiction, en particulier par les utopistes inventeurs
de langues universelles, est en fait une richesse, un
trésor dont nous n'avons pas fini de faire l'inventaire.

Grandes et
petites langues

On parle couramment de « grandes » et de « petites » langues, ou encore de langues « répandues » ou « rares ». En fait, ces qualificatifs ne s'appliquent pas aux langues elles-mêmes, ce qui n'aurait aucun sens, mais au nombre de gens qui les parlent et/ou à la valeur d'échange qu'elles représentent sur le marché de la communication : le russe est une « grande langue » par le nombre de locuteurs, c'est une « langue rare », c'est-à-dire une « petite langue », dans le système scolaire français.

Ce qui importe, ce n'est pas tant le nombre total de locuteurs que leur répartition. Il y a plus de locuteurs du chinois mandarin que de l'anglais, mais ils forment une masse compacte (malgré l'existence d'une diaspora hors de Chine) et le chinois, de ce fait, n'a pas vocation de langue de communication, sinon dans le cadre des frontières nationales de la Chine, où vivent d'importantes minorités linguistiques. C'est l'anglais qui est aujourd'hui la langue *véhiculaire* par excellence, celle qui permet à un Japonais de communiquer avec un Danois. On estime que l'espagnol pourrait prochainement devancer l'anglais en nombre de locuteurs. Mais cela est lié à l'explosion démographique en Amérique latine. L'usage véhiculaire de l'espagnol n'en sera pas forcément accru, sauf si on assiste à un décollage économique dans des pays comme l'Argentine et le Mexique. Paradoxalement, la population anglophone native et unilingue (les Anglais, les Américains, les Australiens) fait partie des populations à croissance faible ; elle est même menacée de régression. L'usage de l'anglais progresse en dépit de cette non-croissance ; son taux de véhicularité — la proportion de locuteurs *non natifs* — est en expansion continue, sous l'effet d'une dynamique dont on n'entrevoit pas la fin.

Pour qu'une langue se répande, il faut qu'il y ait dans un premier temps dispersion géographique des locuteurs natifs, suivie ou accompagnée d'une expansion économique et politique des mêmes populations. Les Russes, contrairement aux Anglais, ont étendu leur empire colonial sur des territoires contigus aux leurs. Ainsi le russe est aujourd'hui langue véhiculaire de l'URSS, mais il s'agit d'un territoire compact, enfermé dans des frontières particulièrement strictes. C'est ce qui explique que, même en Europe de l'Est, sa valeur véhiculaire commence à être concurrencée par l'anglais, dont les locuteurs sont présents sur tous les continents.

Le don
des langues

Certains peuples sont réputés « doués pour les langues » ; les Slaves par exemple. Les Français, par
contre, sont généralement considérés — par eux-mêmes
— comme « peu doués ». Ce type de jugement rejoint
le vaste catalogue des stéréotypes nationaux ou ra-
ciaux : les Noirs sont paresseux, les Écossais sont ava-
res, les Français sont indisciplinés, les Anglais sont fleg-
matiques, etc. On tombe dès lors dans le piège de la
« psychologie des peuples », qui était encore tout à fait
crédible au début de ce siècle mais que les scientifiques,
sinon l'opinion publique, ont aujourd'hui dépassée.

La génétique moderne remet en cause l'existence
des « dons », ces dons que les mythologies populaires attribuent aux « bonnes fées » penchées sur le berceau du nouveau-né. Selon Albert Jacquard, « chaque
population est définie par l'ensemble des fréquences
des différentes catégories de gènes observées [1] ». Si

1. *Cinq Milliards d'Hommes dans un vaisseau*, Paris, Éd. du
Seuil, 1987.

on pouvait affirmer que le don des langues est sous la dépendance d'un gène distinct, on pourrait établir la fréquence de ce gène dans les populations comme on a pu le faire pour les groupes sanguins. Or, ce n'est pas le cas. Le « don » des langues, comme toutes les capacités intellectuelles, est le résultat de l'interaction d'un patrimoine génétique complexe et de l'environnement. Il se manifeste dans la mesure où il est encouragé par l'entourage ou favorisé par des circonstances socioculturelles particulières. Les brassages de population faussent de toute façon la donne génétique. Ainsi, par exemple, aux États-Unis, le fameux « creuset » mêle des populations de toutes origines, d'Europe, d'Afrique et d'Asie. Les cartes sont tellement brouillées que la faible aptitude de l'Américain moyen à l'apprentissage des langues étrangères doit s'expliquer essentiellement par des traits culturels et des circonstances économiques et politiques.

Plus que de don des langues, il faut parler de *réussite* dans l'apprentissage des langues. Le bilinguisme précoce en est un facteur clé. Chacun sait que, plus on parle de langues, plus on éprouve de facilité à en apprendre d'autres, qu'elles soient apparentées ou non. Or, le multilinguisme est, dans nombre de pays, un trait de société plutôt qu'une caractéristique de l'individu. Prenons le cas d'un écolier dakarois d'origine casamançaise. Il y a de fortes chances pour que sa première langue soit le mandingue, le diola ou les deux. La langue parlée par la quasi-totalité de la population à Dakar est le wolof. A l'école, tous les cours sont dispensés en français. Trois ou quatre langues sont ainsi acquises dans la petite enfance et parlées quotidiennement. C'est une situation extrêmement banale en Afrique.

Certes, chacune des langues se répartit sur un terrain socioculturel différent : la maison, la rue, l'école ; chacune correspond à un registre, à un usage social déterminé, mais le fait polyglotte demeure. Voici réunies toutes les conditions pour un don des langues assignable à un peuple. Le fait que les préjugés européocentristes n'attribuent pas généralement cette caractéristique aux Africains ne fait que refléter le mépris dans lequel on a longtemps tenu les langues et les populations prétendument primitives.

Autrefois, plus un peuple était petit, plus il avait de chances d'être homogène et donc unilingue. Aujourd'hui, avec l'avènement des grandes entités nationales et des relations internationales, c'est l'inverse qui est vrai. Plus un groupe humain est faible numériquement, plus il est soumis aux influences et aux pressions de groupes plus puissants. En conséquence, ses membres sont contraints de se faire polyglottes et doivent donc être considérés comme « doués pour les langues ». La situation est aisément vérifiée en Europe, si l'on oppose, par exemple, les

31

Danois ou les Hollandais, réputés bilingues, aux Anglais, <u>indécrottables</u> unilingues.

Une autre explication est cependant <u>disponible</u>. Les diverses langues parlées dans le monde utilisent des fréquences acoustiques différentes. <u>Outre</u> le conditionnement *articulatoire* qui s'acquiert entre deux et quatre ans, il existe un conditionnement *auditif* par la langue maternelle. Ainsi un locuteur francophone a-t-il, au sens propre, du mal à *entendre* les langues qui utilisent des fréquences plus basses ou plus hautes. Les locuteurs de langues comme le russe seraient alors favorisés par une bande de fréquence très large (beaucoup plus large que celle du français), englobant celle de nombreuses autres langues. Naturellement, l'apprentissage d'une langue n'est pas seulement une question d'oreille, mais c'est un facteur important, notamment pour percevoir les sons distinctifs absents de la langue maternelle. Ceci expliquerait de façon satisfaisante le fait que les Russes ont effectivement des facilités pour les langues étrangères alors même qu'ils parlent une langue dominante. Et, inversement, le fait que les Français, contraints d'apprendre l'anglais, dont la bande de fréquence est plus élevée, n'y parviennent que médiocrement.

Le multiple
dans l'unique

Si un sourd-muet recouvrait la parole,
il parlerait le français de Paris.

DÉSIRÉ NISARD, *Histoire
de la littérature française.*

« Je te comprends, tu me comprends, c'est donc
que nous parlons la même langue. Si au contraire
nous ne nous comprenons pas, c'est que nous parlons une langue différente. » Monsieur de la Palice
ne s'exprimerait pas autrement. Et pourtant seul le
critère crucial de l'*intercompréhension* permet de cerner les contours d'une langue.

Il existe plusieurs définitions du mot *langue*.
Selon l'opinion la plus répandue dans le public, une
langue est un code écrit et structuré par une
grammaire* de type scolaire, qui possède un statut
national et/ou *officiel* ainsi qu'une tradition littéraire.
Une langue est conçue comme un ensemble homo-
gène, clos sur lui-même et surtout identifiable. Son
unicité et sa légitimité ne doivent pas être mises
en cause. Parcourons le catalogue des méthodes
Assimil. Aucun doute : ce que nous apprenons,

33

c'est *le* portugais, *le* grec moderne, *le* turc, etc.

Tout ce qui ne semble pas correspondre à la définition ci-dessus est taxé de patois ou de dialecte. Ainsi les langues minoritaires en France ; ainsi les langues parlées en Afrique, même lorsqu'elles sont écrites et décrites.

Sur l'opposition entre *langue* et *dialecte*, un gouffre sépare les conceptions du locuteur « naïf », monsieur Toulemonde, de l'approche du linguiste.

Le linguiste donne pour sa part deux définitions de la langue, l'une *linguistique*, l'autre *sociolinguistique*, c'est-à-dire politique.

D'un point de vue linguistique, la langue est l'ensemble de tous les dialectes, répartis dans l'espace *social* ou *régional*, qui assurent une intercompréhension *suffisante* (en admettant qu'il existe un consensus sur le sens de ce mot) entre leurs locuteurs respectifs. En ce sens, on peut dire que le *français* n'est pas la langue *normée* (ou *standardisée*) que véhicule l'école en France et dans les États dits francophones ; ce français modèle, presque imaginaire, que l'Alliance française diffuse dans le monde. Le français *standard* n'est qu'un dialecte parmi les autres, qui se trouve avoir un statut dominant et sert de norme de référence.

Dans cette optique, tout à fait contraire à la conception la plus courante, la langue française est donc la *somme* des dialectes dont les locuteurs se reconnaissent eux-mêmes comme *francophones natifs*, par-delà les classes sociales et la variation régionale ; qu'ils soient marseillais, dakarois ou québecois, loubards de banlieue ou PDG.

Cette définition se fonde sur la notion de *continuum dialectal*. En effet, les cartes établies par les dialectologues pour les différentes aires linguistiques font apparaître que les frontières ne sont jamais tranchées, mais au contraire progressives. Il en est de même pour les dialectes dits sociaux. La différenciation est graduelle, et c'est seulement aux extrémités du continuum, lorsque l'intercompréhension n'est plus assurée, qu'on peut dire qu'on est sorti de la langue pour entrer dans une autre.

Ce point de vue est crucial pour décider, par exemple, si les créoles*, ces langues issues du croisement du français des colons et de différentes langues africaines et qui sont aujourd'hui parlées dans les Antilles, en Louisiane et dans l'Océan Indien, sont des dialectes du français ou bien s'ils constituent des langues séparées, elles-mêmes composées de dialectes. C'est cette deuxième analyse que l'on retient aujourd'hui. Par contre, le parler acadien du Nouveau-Brunswick, au Canada, bien que peu accessible aux locuteurs du français standard, est néanmoins considéré comme un dialecte du français. De même que le parler propre aux Noirs américains, dans lequel certains ont voulu voir un créole, n'est rien d'autre qu'un dialecte de l'anglais américain.

Une définition *politique* de la langue donne le statut de dialecte, sans en retenir les connotations péjoratives, à tout parler *vernaculaire*. Le vernaculaire, de diffusion limitée, est dépourvu des caractéristiques indispensables pour accéder au statut de langue, à savoir l'*autonomie* (le fait d'être reconnu comme un système distinct) et la *standardisation* (l'imposition de normes), qui va de pair avec la culture écrite et la scolarisation. En ce sens, on a pu dire que la langue est « un dialecte qui a réussi [1] ». Ainsi le dialecte francien, devenu le français national, ne s'est-il imposé contre les autres parlers d'*oïl* qu'en développant autonomie et standardisation, grâce à des circonstances économiques et politiques favorables, et non pas à cause de qualités intrinsèques. Dans nombre de pays, une variété standard, ayant donc le statut de langue, coexiste avec des vernaculaires qui lui sont apparentés. C'est le cas en Suisse alémanique où le schwyzertüütsch ou suisse allemand reste la langue des échanges de la vie quotidienne à côté de l'allemand, qui est langue officielle. On parle dans ce cas de *diglossie* : l'ensemble de la communauté linguistique use en alternance d'une variété dite *basse* (le vernaculaire) et d'une variété *haute* (la langue standard) en fonction des circonstances, familières ou officielles.

1. Louis-Jean Calvet, dans *Linguistique et Colonialisme*, Paris, Payot, 1974.

Ces deux définitions ne sont pas nécessairement compatibles. Le critère d'incompréhension, qui signale l'appartenance à un même groupe dialectal, c'est-à-dire à une même langue, peut entrer en conflit avec un critère politique. La frontière qui sépare la France de l'Allemagne légitime l'autonomie de la langue alsacienne, pourtant aussi proche (ou aussi éloignée) de l'allemand standard (issu du dialecte haut-allemand) que le bavarois ou le schwyzertüütsch ; il en est de même pour le luxembourgeois. De part et d'autre de la frontière entre les Pays-Bas et l'Allemagne, les dialectes sont intercompréhensibles mais leurs locuteurs les rattachent soit à la variété haute néerlandaise soit à l'allemande selon leur nationalité. Le danois, le suédois et le norvégien sont très proches et largement intercompréhensibles ; ils constituent néanmoins des langues séparées. Inversement, on considère que les dialectes basques constituent une même langue par-delà la frontière franco-espagnole. Et il ne viendrait à l'idée de personne de considérer le catalan d'Espagne comme un dialecte de l'espagnol (c'est-à-dire du castillan) et le catalan de France comme un dialecte du français. Pour des raisons historiques, les choses sont moins claires sur la frontière italienne : le niçois est-il un dialecte de l'italien ou bien appartient-il au grand ensemble occitan ?

Ainsi la hiérarchisation de fait qui s'établit dans l'esprit du public entre langues et dialectes, entre « grandes langues » et « petites langues », entre lan-

37

gues nationales et langues régionales est-elle fondée sur l'inégalité des statuts. Or, celle-ci résulte de circonstances qui n'ont absolument rien à voir avec la nature des langues.

Avé
l'assen

> Mon Dieu, je n'avons pas étugué comme vous,
> et je parlons tout droit comme on parle cheux nous.
>
> MOLIÈRE, *Les Femmes Savantes*.

Avoir un accent, c'est parler avec un accent étranger ou régional. Le terme *accent* est habituellement compris comme un *écart* par rapport à une norme, qui est une *absence* («parler sans accent»). Et le bourgeois parisien cultivé est bien étonné quand on lui parle de son accent. Parbleu, il n'en a pas, d'accent, puisqu'il représente justement la norme ! L'accent vous situe géographiquement (l'assen du Midi) ou socialement (l'accent parigot, l'accent technocrate). Bien sûr, certains accents sont considérés comme vulgaires et d'autres comme distingués. Les premiers sont caractérisés par un relâchement articulatoire, les seconds par une tension et une «fermeture» de l'articulation.

La France se partage entre deux grandes zones relativement homogènes. La frontière entre ces deux zones correspond en gros à celle qui séparait autrefois les parlers d'*oc* des parlers

39

d'*oïl* [1]. L'accent du Midi se distingue de celui du Nord par quelques traits dont les plus saillants sont la prononciation des *e* muets, l'absence de distinction entre le *o* ouvert de *molle* et le *o* fermé de *môle* et une réalisation différente des voyelles nasales.

Les variétés *standard* des « grandes langues » ont ceci de particulier qu'elles peuvent être parlées avec plusieurs types d'accent. L'accent est alors indépendant du dialecte puisqu'on peut parler le français standard avec l'accent parisien — considéré comme neutre —, mais aussi avec l'accent du Midi, du Québec, etc. Par contre, les dialectes ou variétés non standard sont parlés avec un accent spécifique, qui constitue dans ce cas un trait définitoire du dialecte en question. Les accents dits régionaux sont la trace la plus persistante d'une langue dominée dans la langue dominante. Les locuteurs transfèrent sur la langue standard les habitudes articulatoires de leur vernaculaire, de la langue parlée localement, même si l'usage de celle-ci est en forte régression, comme c'est le cas malheureusement en France pour la plupart des langues minoritaires (alsacien, catalan, provençal, breton, etc.).

L'accent peut servir de signe de différenciation ou au contraire d'assimilation selon la valeur de prestige que l'on accorde à la norme ou à l'écart. Des motivations psychosociales très puissantes sont à

---

1. Rappelons que cette distinction repose sur le mot « oui », *oc* au Sud, *oïl* au Nord. Voir carte p. 163.

l'œuvre lorsqu'un individu change ou au contraire conserve son accent. L'accent «pointu» des Parisiens, caractérisé par une fermeture des voyelles, est tantôt admiré et imité, tantôt décrié ou tourné en ridicule. Le petit Parisien en vacances dans le Midi a tôt fait de le perdre s'il veut s'intégrer à un groupe local. Mais, globalement, on ne peut pas dire que l'accent en France soit un facteur de discrimination aussi puissant que dans les pays anglophones. Bernard Shaw n'aurait pas pu y écrire *Pygmalion*[1] (le professeur Higgins, héros de cette comédie, se targue de pouvoir situer l'origine géographique et sociale de tout locuteur «à une rue près»!). Ce sont les accents «extra-hexagonaux» — belge, suisse (dont la lenteur fait l'objet de caricatures), africains, antillais (caricaturés comme étant «sans *r*») et surtout québécois — qui sont perçus comme *étranges* sinon *étrangers*.

Le prestige lié à telle ou telle norme de prononciation est tout à fait arbitraire. On cite souvent le cas du *r* final (postvocalique), stigmatisé en anglais britannique, où on prononce *father* sans *r*, et au contraire valorisé aux États-Unis. Alors que ce *r* n'était pas prononcé par les classes dominantes à New York jusqu'à une époque récente, il s'y répand de plus en plus. Cette prononciation est dès lors imitée

1. C'est de cette pièce qu'a été tiré le film *My Fair Lady*.

plus ou moins consciemment par les autres classes sociales et tout d'abord la petite bourgeoisie et les femmes. Des enquêtes ont montré qu'un sentiment d'« insécurité linguistique » pousse ces deux groupes à adopter et à répandre les traits de langue les plus « distingués ». Il est à noter que rien de tel ne se produit en Grande-Bretagne où la prononciation sans *r* reste la norme du *Queen's English*. L'une des explications possibles à cette différence de statut du *r* est sans doute le fait que l'absence de *r* final est l'un des traits de base de l'anglais vernaculaire noir ou *Black English*, parlé dans les ghettos et dans le Sud rural par des populations défavorisées.

Le Neg'
de la Ma'tinique

Depuis *Tintin au Congo*, le stéréotype du Noir qui ne prononce pas les *r* s'est imposé dans les bandes dessinées, la publicité et les films pour enfants. Le doublage des films américains en fait largement usage ; de même que les histoires drôles mettant en scène des Africains. De là le préjugé selon lequel les Noirs seraient génétiquement inaptes à prononcer les *r*.

Le *r* est un son qui connaît des réalisations très différentes selon les langues. Il est particulièrement distinctif dans un accent perçu comme étranger et se prête plus que d'autres à la caricature. Il est vrai que les Antillais dont la langue maternelle est le créole éprouvent des difficultés à produire un *r* français. C'est que ce son a un statut différent dans les deux langues : dans un mot créole dérivé du français, le *r* peut soit tomber soit être réalisé comme un *w*. Dans les dialectes noirs américains, le *r* tombe en position finale mais est généralement maintenu devant une

43

voyelle. Quant aux langues africaines, la plupart possèdent le son *r*, même s'il est prononcé différemment du *r* grasseyé français. Par contre, les locuteurs de certaines langues asiatiques, dont le chinois, ont du mal à distinguer *r* de *l* dans les langues européennes comme en témoignent les blanchisseurs chinois chez *Lucky Luke*.

Mais il est évident que seules les habitudes articulatoires acquises avec la langue maternelle peuvent faire obstacle à la prononciation d'un son étranger et il paraît aberrant qu'on puisse imaginer que les organes phonatoires diffèrent selon les races ou les peuples. Il n'y a pas de « gosiers » slaves ou latins, européens, asiatiques ou africains...

On peut dire la même chose des voix : le stéréotype des voix noires et des voix blanches aux États-Unis est largement culturel, bien que le FBI se targue de pouvoir toujours identifier la race d'un correspondant anonyme. Effectivement, des enquêtes ont montré qu'on pouvait le plus souvent distinguer un Blanc d'un Noir au téléphone ou sur un enregistrement. Cependant, des Noirs cultivés ont été pris pour des Blancs et des « petits Blancs » du Sud pour des Noirs.

La façon de parler — accent, voix —, étendue à la langue elle-même, a pu être (est encore) utilisée comme argument raciste. Les créoles, qui sont pourtant des langues à part entière, sont encore traités de « petit-nègre ». Leurs locuteurs seraient inaptes à une expression linguistique complexe et structurée, ils par-

leraient comme des enfants. Le *Black English*, l'anglais des Noirs américains, a longtemps été tenu pour une preuve de l'infériorité génétique des Noirs. Confronté à la norme de l'anglais standard, il ne pouvait apparaître que comme une corruption de cette norme : chute du *r* et des consonnes finales en général, réduction des groupes consonantiques, perte de *th* remplacé par *t/d* ou *f/v* (*this*, par exemple, est prononcé *dis* ou *vis*), perte du *-s* à la troisième personne du singulier et de *-ed* au passé, double négation (le comble de l'illogisme puisque deux négations sont censées se détruire). Or, on a pu montrer que la plupart de ces traits se retrouvaient dans d'autres dialectes de l'anglais, américain ou britannique. Le sentiment antiraciste a d'ailleurs conduit dans les années soixante à renier la spécificité du *Black-English*. Parler d'un dialecte dont la définition est la couleur de ses locuteurs apparaissait gênant aux yeux des militants des droits civiques et de l'égalité raciale. Pourtant, il existe bien un dialecte ou plutôt un ensemble de dialectes qui ne sont parlés que par des Noirs. Que la race soit ici un trait distinctif n'est que le reflet du statut social des Noirs ainsi que de leur répartition géographique.

Identité linguistique, identité nationale

Défense de cracher par terre
et de parler breton.
*Instructions aux élèves
des écoles publiques.*

Dans la phase actuelle de son histoire, le français est une langue relativement homogène et de surcroît fortement normée (ceci explique cela). C'est aussi une langue *nationale* au sens plein du terme puisque aucune autre langue ne lui fait concurrence pour cette fonction dans l'Hexagone. D'où la tendance qu'on observe chez les Français à identifier les langues à des communautés géographiques et politiques aux contours bien définis. Tout en sachant que le français est parlé hors de France et que certains de nos voisins sont des États multilingues, la plupart des gens considèrent comme allant de soi qu'une langue coïncide avec une identité nationale et s'imaginent que tous les Chinois parlent le chinois. Certains vont jusqu'à parler d'une langue yougoslave ou hollandaise, pour ne citer que des exemples européens. En réalité, six langues à statut national sont parlées en Yougoslavie, outre de nombreux dialectes ; les Hollandais, de leur côté,

partagent l'usage du néerlandais avec les Flamands de Belgique.

L'adéquation entre langue et nation est de fait une situation tout à fait exceptionnelle dans le monde. Cependant, il est vrai que l'unité linguistique a contribué dans bien des cas à forger l'unité nationale.

Dans l'esprit des révolutionnaires de 1789, l'éradication des patois et des langues minoritaires était la condition *sine qua non* pour imposer l'idée de la nation républicaine. Cette tâche fut menée à bien (ou à mal) en un siècle environ. On estime qu'avant les lois de 1880-1882 sur l'enseignement laïque obligatoire, moins de vingt pour cent des *citoyens* français parlaient la *langue* française. Avec l'école de Jules Ferry, les instituteurs, issus généralement de la paysannerie, se firent les alliés du pouvoir central dans l'œuvre d'unification linguistique. « Défense de cracher par terre et de parler breton » : ce furent des Bretons bretonnants qui firent appliquer ces consignes. Ainsi s'achevait un processus commencé au onzième siècle, avec la montée du dialecte francien, parlé par les rois capétiens fixés à Paris. Entre-temps, François Ier avait promulgué en 1539 l'ordonnance de Villers-Cotterêts, qui instaurait le français, jusque-là langue *vernaculaire* mais bénéficiant d'une dynamique *véhiculaire*, comme langue officielle du royaume (tous les textes officiels devaient dorénavant être rédigés en français et non plus en latin).

Catalogue des idées reçues sur la langue

Aujourd'hui encore, l'institution d'une langue nationale unique est un enjeu majeur dans nombre d'États récemment constitués. L'Indonésie s'est dotée de façon volontariste d'une langue commune nommée *bahasa indonesia*. A Madagascar s'élabore le *malgache commun* à partir des dix-huit principaux dialectes de l'île. Cependant, cette unification reste un objectif impossible à atteindre dans bien des États pluriethniques. Une langue *officielle*, souvent une langue de colonisation, se superpose alors à un groupe de langues *nationales* choisies parmi les plus importantes (choix qui ne va pas sans conflits). C'est le cas au Sénégal, où on dénombre vingt-six langues, dont six à statut national, et une langue officielle, le français. Mis à part le cas du Burundi et du Rwanda, aucun État d'Afrique noire, quelle que soit la volonté politique de ses gouvernants, n'est en mesure de devenir unilingue. Une vision un peu simpliste des effets pervers de la colonisation a pu faire croire que des frontières avaient été tracées, de façon arbitraire, à travers des aires linguistiques et culturelles homogènes. Il est vrai que les puissances coloniales ont tranché dans le vif des ethnies, créant des zones de turbulence aux frontières. Mais il faut savoir que ces ethnies avaient déjà subi des brassages bien avant l'arrivée des colons et étaient souvent imbriquées sur les mêmes territoires. A l'inverse, de nombreux groupes linguistiquement proches vivaient et vivent encore géographiquement séparés. Ainsi, au Sénégal, les

Wolofs ne forment pas une continuité territoriale. Par ailleurs, les Peuls, qui sont dispersés dans huit pays sahéliens, du Sahara au golfe de Guinée, n'ont jamais formé un groupe compact. Faire coïncider avec l'ethnie peul un État peul d'un seul tenant est donc une vue de l'esprit. La situation de ce peuple est en fait comparable à celle des Celtes en Europe.

Le problème des minorités nationales est quasi universel et les zones frontalières sont toujours déchirées. L'Europe elle-même en est l'exemple le plus ancien et le plus frappant. Ainsi par exemple l'allemand (ou l'un de ses dialectes) est parlé par des groupes plus ou moins importants dans dix pays européens ; dans le même temps, la Roumanie n'enregistre pas moins de quatorze minorités linguistiques sur son territoire.

L'arbre
des langues

Parce que des langues meurent, pendant que d'autres naissent, on a pu avoir l'illusion d'une « vie de la langue », analogue à celle d'un être vivant, comme en témoignent les termes de *langue vivante* et de *langue morte*. Parce que des « liens de parenté » ont pu être établis entre « langues sœurs » issues d'une même « langue mère » — cette découverte a concerné en premier lieu les langues dites *indo-européennes*, dont la parenté a été établie par les comparatistes au dix-neuvième siècle —, on s'est habitué à concevoir les relations entre langues sous la forme d'un arbre généalogique. Ainsi s'impose dans la classification des langues une vaste *métaphore du vivant*. Mais le concept de « famille de langue », l'idée de la filiation entre une langue « mère » et ses « filles », issues d'elle, en bref le recours à la généalogie, est trompeur. Un être humain naît de la rencontre entre deux êtres dont il recueille l'héritage génétique dans une combinaison unique qui fait sa singularité. Chaque être est seul

53

et détaché des autres. A chaque instant, des humains meurent pendant que d'autres naissent. Mais le destin de chaque homme reste individuel. Il en va tout autrement de la langue. On ne peut pas dire qu'une langue qui meurt soit remplacée par une langue qui naît. Tout d'abord, une langue ne meurt — au sens où elle est rayée de la carte linguistique du monde — que lorsque meurent ses derniers locuteurs. L'anthropologue Theodora Kroeber a raconté de façon particulièrement émouvante sa rencontre au début du siècle avec Ishi, un Indien de Californie, dernier porteur de la langue de son ethnie décimée.

D'autre part, c'est un abus de langage que de dire que le grec ancien, le latin ou le sanscrit sont des langues mortes. Ce sont en réalité des *états de langue*, qui ont été artificiellement conservés et extraits du processus naturel de leur évolution. Le latin n'est pas mort parce que tous ses locuteurs seraient morts, disons au deuxième siècle de notre ère. Au contraire, il a continué à évoluer sur son propre territoire comme sur les territoires conquis et occupés par les Romains, où il a donné naissance, par fragmentation dialectale, à ce que nous appelons aujourd'hui les langues romanes. Ce qu'on considère comme étant du latin recouvre d'ailleurs plusieurs variétés. Le latin d'Église tout comme le latin véhiculaire de l'Europe des lettrés ont continué à évoluer tant qu'ils ont été effectivement parlés. Et le latin de Descartes ou de Leibniz aurait bien étonné Cicéron. Le latin classique, par contre, a été enseigné de façon continue et sous une forme figée jusqu'à nos jours.

Il y a un paradoxe dans la généalogie des langues. D'une part, une langue dure, perdure et évolue continuellement, sans qu'on puisse lui attribuer ni un début ni une fin, encore moins des frontières. C'est donc le même « être » qui indéfiniment se renouvelle ; il s'agit là aussi d'un *continuum*, dans le temps cette fois. Et pourtant des « instantanés » pris à quelques siècles de distance font apparaître des divergences telles qu'un locuteur du vingtième siècle est incapable de comprendre sans effort un texte datant, disons, du quinzième siècle. La langue devient autre tout en restant elle-même. D'autre part, toute langue dont les locuteurs se dispersent est soumise au phénomène de la *fragmentation dialectale*. Elle se reproduit, pour ainsi dire, par *scissiparité*. Si on prenait à titre expérimental cent locuteurs du français, d'âge, de milieu social et d'origine géographique identiques, c'est-à-dire parlant une variété du français aussi homogène que possible, et si on les enfermait par groupes de dix dans des îles désertes sans possibilité de communiquer entre eux, on observerait le développement de dix nouvelles variétés dialectales ; celles-ci seraient probablement mutuellement intelligibles pendant un certain temps mais se différencieraient progressivement. C'est ce qui permet de représenter les familles de langues par des arborescences, ainsi par exemple la « famille indo-européenne », issue de la dispersion d'un peuple dont la localisation primitive est encore controversée [1] et qui aurait parlé la *proto-langue* reconstruite au dix-neuvième siècle par rapprochement d'un grand nombre de langues parlées de l'Inde à l'Irlande. Mais n'oublions pas qu'il n'y a pas de « pères » dans cette histoire. Une langue n'a pas besoin d'en rencontrer une autre pour donner naissance à une troisième. Lorsque cela se produit, on obtient des langues hybrides : des sabirs*, des pidgins*, puis des créoles*. C'est seulement dans ce dernier cas que l'on peut dire que l'on assiste à la naissance d'une langue.

Si l'on veut poursuivre aujourd'hui ce type d'analogie, il faut le faire dans les termes de la génétique moderne. « L'espèce humaine, écrit Albert Jacquard, pourrait être classée en races bien distinctes si son histoire pouvait être décrite, comme celle de nombreuses familles d'animaux, par un arbre peu à peu ramifié en branches résultant de scissions successives. En réalité, cette histoire ne peut être représentée que par un réseau comportant aussi bien des fusions que des scissions. Cette particularité rend illusoires à la fois la reconstitution de l'histoire des filiations entre populations et la classification de celles-ci en races bien définies [2]. » Il suffit de remplacer ici

---

1. Selon l'hypothèse la plus récente, le berceau des Indo-Européens se trouverait au sud-est de la Russie. Voir carte p. 162
2. *Cinq Milliards d'Hommes dans un vaisseau, op. cit.*

les mots *population* ou *race* par les mots *langue* ou *famille de langues*; en effet, les contours de la langue sont aussi flous que ceux de la race.

Cet arbre qui représente les ramifications issues de la proto-langue indo-européenne est trompeur non seulement parce qu'il donne l'illusion d'une généalogie mais aussi parce qu'il occulte les phénomènes de croisement, de substrat, les « accidents » culturels tels que la sélection de certains états de langue pour servir à des fonctions particulières, comme c'est le cas pour les langues religieuses et sacrées. Il est rare qu'un groupe humain s'installe dans un lieu totalement désert et coupé du reste du monde, comme j'en ai fait l'hypothèse plus haut. Les migrations ont le plus souvent produit des mélanges, des mixages ; tout comme les invasions et les occupations naturellement. On appelle *substrat* la trace, dans une langue parlée en un territoire donné, d'une ou de plusieurs langues parlées en ce même territoire précédemment. Ainsi le substrat celte explique-t-il en partie la différenciation des dialectes romans en territoire gaulois.

Il n'existe pas de langues « pures » et de langues « impures ». A de rares exceptions près (peuples isolés), toutes les langues subissent l'influence d'autres langues en contact avec elles. L'emprunt lexical en est la marque la plus spectaculaire (ainsi l'anglais comporte quatre-vingts pour cent de vocabulaire d'origine latine ou française), mais même en syntaxe et en phonétique on peut observer des influences, y

compris dans le cas de langues assez éloignées génétiquement ; on cite souvent l'exemple des langues bal-
kaniques : le grec moderne, le roumain et le bulgare,
qui appartiennent pourtant à des branches différentes de l'arbre indo-européen, ont vu se développer
des traits syntaxiques communs.

La notion de pureté de la langue est aussi dange-
reuse que celle de pureté de la race. Le souci de puri-
fication de la langue a amené par exemple
l'Allemagne nazie à éliminer certains mots interna-
tionaux à racine grecque comme *Telefon*, *Geografie*
et *Television* au profit des néologismes purement alle-
mands *Fernsprecher*, *Erdkunde* et *Fernsehen*. Les
créoles ont été qualifiés de langues impures, et longtemps réputés indignes d'intérêt pour les linguistes.

Le « métissage » des langues ouvre la voie à une
autre analogie génétique. L'idée de la *sélection naturelle* ne peut pas s'appliquer aux langues. Il n'y a rien
d'intrinsèquement meilleur dans les langues dominantes, celles qui survivent au détriment des plus faibles.
La dynamique des langues véhiculaires vient néanmoins confirmer l'idée que les espèces hybrides sont
les plus résistantes. Les grandes langues véhiculaires
sont fortement exposées au métissage ; elles donnent
facilement naissance à des *pidgins*, c'est-à-dire à des
langues de communication hybrides, simplifiées, strictement utilitaires et dépourvues de locuteurs natifs.
Ce qui est intéressant, c'est de constater que les grandes langues véhiculaires sont souvent déjà métissées

avant même d'assumer cette fonction. C'est le cas de l'anglais et du swahili. L'anglais est issu d'un dialecte germanique avec de forts apports romans ; c'est aujourd'hui la première langue véhiculaire dans le monde, parlée par davantage de locuteurs non natifs que de locuteurs natifs. Le swahili est une langue bantoue confortée par environ trente pour cent d'emprunts à l'arabe, ainsi qu'à l'anglais et à l'allemand ; c'est aujourd'hui une des grandes langues véhiculaires d'Afrique, parlée du Kenya au Mozambique. L'une comme l'autre langue a donné et donne naissance actuellement à des variétés pidginisées, donc à de nouveaux métissages.

Les premières classifications « génétiques » des langues sont contemporaines du darwinisme. Constatant que des langues apparentées peuvent être typologiquement très éloignées, qu'il s'agisse de relations mère-fille (le latin/les langues romanes modernes) ou de relations entre cousines (les langues slaves/les langues romanes), les linguistes du dix-neuvième siècle furent amenés à formuler la classification des langues dans les mêmes termes que la typologie raciale. Ils s'efforcèrent de hiérarchiser les langues en fonction de leur « degré d'évolution [1] ». Ainsi s'instaura une différenciation autorisant des jugements de valeur analogues à ceux portés à la

1. « La hiérarchie des langues correspond rigoureusement à la hiérarchie des races », écrit Gobineau dans l'*Essai sur l'inégalité des races humaines* (1853).

même époque sur les races. Ce fut la théorie des *stades*, selon laquelle toutes les langues passent par les mêmes étapes, mais à des rythmes différents. On distinguait ainsi quatre stades correspondant aux quatre grands types d'organisation grammaticale qu'on avait repérés dans les langues du monde : le type *isolant*, dont le chinois est le prototype, le type *agglutinant*, très répandu en Amérique et en Afrique, le type *flexionnel*, représenté par le grec ancien, le latin et les langues slaves, et le type *analytique* dont le français et l'anglais sont des exemples [1]. A partir de là, selon que l'on croyait au progrès ou au contraire à la décadence en matière de langues, on pouvait considérer le chinois comme langue modèle et l'anglais comme langue dégénérée ou bien, au contraire, le chinois comme langue primitive et l'anglais comme langue hyperévoluée. Ce qui est sûr, c'est que le stade agglutinant, celui des langues africaines et amérindiennes, dont les locuteurs étaient alors asservis, était de toute façon le plus mauvais.

Les typologies linguistiques sont aujourd'hui remises en question. Trop de langues sont considérées

1. Dans les langues isolantes, les mots, généralement des monosyllabes, sont invariables et nettement démarqués. Dans les langues agglutinantes, au contraire, les unités de sens ont très peu d'autonomie : un seul « mot » peut contenir tous les éléments d'une phrase. Dans les langues flexionnelles, les relations et les catégories grammaticales sont marquées par des désinences modifiant le radical des mots (déclinaisons, conjugaisons, marques de genre et de nombre). Dans les langues analytiques, les relations sont indiquées par l'ordre des mots et par des prépositions.

comme inclassables selon ces critères, et la recherche s'oriente davantage vers les *universaux de langage*, c'est-à-dire le noyau commun à toutes les langues. A l'unicité fondamentale de la race humaine répond ainsi l'unicité fondamentale du langage humain.

Latinité

Les langues latines ou romanes sont le support de cultures qui se réclament d'un même héritage. En Europe comme en Amérique, une frontière sépare les peuples latins des peuples anglo-saxons/germaniques. Mais on croit rêver quand on entend le président Senghor englober le peuple sénégalais dans la latinité, pour cause de francophonie, et en tirer un argument pour promouvoir et conserver l'enseignement du latin.

C'est là qu'apparaît l'extraordinaire pouvoir classificateur de la langue. Les peuples *latins*, avec tous les stéréotypes qui s'y rattachent, sont étiquetés ainsi pour des raisons avant tout linguistiques. C'est parce que les Indiens d'Amérique latine parlent l'espagnol ou le portugais, à côté de leurs propres langues, qu'ils sont devenus, bien malgré eux, des Latins.

Malgré l'extraordinaire disparité des peuples de langue romane aujourd'hui, la langue est en quelque sorte constitutive d'une « race », d'une race culturelle, à la cohésion autrement plus forte que celle de la race au sens propre, dont la génétique moderne a montré à quel point il est difficile de la définir. Il est intéressant de noter que la découverte de l'origine commune des langues indo-européennes est le fondement du concept de race aryenne. On posa au dix-neuvième siècle l'équation : langues aryennes = race aryenne, alors même que les peuples parlant les langues indo-européennes sont très diversifiés. En Allemagne, ce concept fut infléchi dans un sens néfaste grâce à un curieux tour de passe-passe linguistique : les langues indo-*européennes* y reçoivent le nom de langues indo-*germaniques*.

De la même façon, tous les peuples vivant dans les pays arabophones sont assimilés aux Arabes, même lorsqu'ils ont une origine ethnique différente, comme les Berbères ou les Égyptiens. Et nombreux sont les gens qui s'imaginent que tous les Soviétiques sont des Russes.

Un cas inverse de la latinité est celui de la judéité. Là, la notion de race ne coïncide pas avec la langue, au contraire. Toutes les langues que les juifs ont pu parler au cours de leur histoire ne les ont jamais empêchés d'être ramenés à un commun dénominateur racial, y compris lorsqu'ils ont parlé des langues à base romane comme le ladino ou le judéo-provençal.

Le génie
de la langue

Les têtes se forment sur les langages et les pensées prennent la teinte des idiomes. La raison seule est commune, l'esprit en chaque langue a sa forme particulière; différence qui pourrait bien être en partie la cause ou l'effet des caractères nationaux.

JEAN-JACQUES ROUSSEAU,
L'Émile.

Certains voient dans les langues de simples catalogues de mots correspondant à des inventaires de concepts et s'imaginent qu'apprendre une langue étrangère, c'est avaler un dictionnaire. A cette conception naïve s'oppose une opinion inverse et radicale selon laquelle les langues sont irréductibles les unes aux autres; autrement dit : « rien ne peut se traduire » comme l'exprime le vieil adage : « *traditore, traditore* ». C'est vrai que toute personne bilingue ou ayant la pratique de plusieurs langues étrangères connaît bien ce sentiment qu'« il y a des choses que l'on ne peut exprimer que dans la langue A et pas dans la langue B, parce que les mots font défaut ».

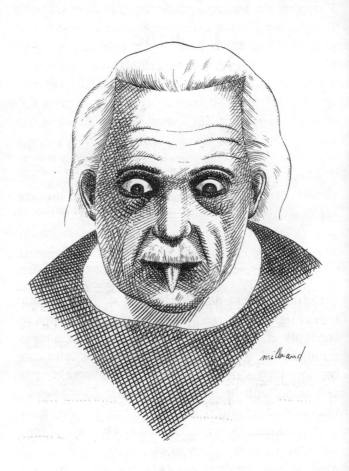

Par exemple, les concepts de *home* et de *cosiness* de l'anglais sont intraduisibles en français. Au sein d'un groupe bilingue, il se produit généralement un va-et-vient d'une langue à l'autre qui fonde une conni-vence : le savoir partagé de deux sphères d'expérience qui privilégient chacune une langue. C'est cette spé-cificité que traduit l'expression « le génie de la lan-gue ». Chaque langue a son propre « génie », c'est-à-dire sa singularité.

Mais, s'il est indéniable que la langue filtre pour nous la réalité et organise notre vision de l'univers, que notre pensée se coule dans le moule de la langue maternelle, il faut se garder d'en tirer des conclusions trop extrêmes.

C'est justement parce que les langues constituent des systèmes indépendants de la réalité extralinguis-tique qu'il est si difficile de définir la nature exacte de la relation entre langue, pensée et réalité. La lan-gue se moque de savoir si les pommes de terre, dans la réalité, se comptent ou ne se comptent pas : le mot *Kartoffel*, dénombrable en allemand, est devenu indé-nombrable en russe, où il a été emprunté (on est obligé de dire « manger *de* la pomme de terre »). De même, le mot français *bagage*, dénombrable, a rejoint la classe des indénombrables en anglais, langue dans laquelle on parle de « pièces » de bagage. En fran-çais, non seulement les cheveux se coupent en qua-tre, mais ils se comptent ; pas en anglais : *hair* est indénombrable et s'accorde avec un verbe singulier.

Catalogue des idées reçues sur la langue

Le spectre des couleurs, qui peut apparaître comme un donné de la nature, ne donne pas lieu au même découpage par les différentes langues : le russe distingue par deux mots totalement distincts deux zones du bleu. Ceci n'empêche pas de passer d'une langue à l'autre.

En fait, ce qui différencie les langues, ce ne sont pas leurs capacités expressives, malgré tous les préjugés sur les langues riches* et les langues pauvres*, sur les langues simples* et les langues complexes*, et tous les faux débats sur les langues et les mentalités primitives ou avancées. Les langues diffèrent par ce qu'elles nous imposent de dire, par le type d'information que véhicule obligatoirement leur structure grammaticale. Comparons par exemple la phrase française : « L'ouvrier travaille » et ses deux traductions anglaises : « *The worker is working* »/« *The worker works* ». Le français nous contraint à fournir une information sur le *sexe* du travailleur par l'intermédiaire du *genre* masculin mais ne nous permet pas de savoir si l'ouvrier travaille *en ce moment* ou bien *de manière habituelle*. Le contexte tranchera. L'anglais, par contre, ne nous donne pas d'indication sur le sexe du sujet, mais il nous oblige à trancher entre l'aspect habituel et l'aspect actuel. Ce sont de telles contraintes qui compliquent la tâche du traducteur, qui doit compenser l'absence ou la présence de telle ou telle information que véhicule la grammaire, autant sinon plus que la non-correspondance des inventaires lexicaux.

Au commencement
était le verbe

Pour un non-linguiste, il semble évident que les classes grammaticales apprises à l'école — nom, verbe, adjectif, adverbe, conjonction, article — ont une existence universelle. Une langue, croit-on, ne saurait s'en passer. Pour un francophone, une langue doit posséder un ensemble de *temps grammaticaux* et de *modes* ; elle doit opposer le *singulier* et le *pluriel* des noms, distinguer entre le genre *féminin* et le genre *masculin*. Enfin, il lui paraît naturel d'identifier les *personnes* grâce à un système de six *pronoms* : je, tu, il, etc.

« Au commencement était le Verbe », disent les Écritures. *Verbe* est ici synonyme de *parole* ou de *mot*. En tant que partie du discours, le verbe apparaît dans la tradition grammaticale comme le fondement de l'énoncé. A vrai dire, il vaut mieux séparer sa *forme* et sa *fonction*.

En tant que forme, le verbe n'est pas toujours facilement identifiable. Il ne se distingue pas nécessairement du nom ; ainsi dans « On peut apporter son manger », seule la présence du possessif et la position de complément d'objet nous permet de savoir que *manger* est un nom et non un verbe. Cette absence de marque distinctive, bien qu'assez rare en français, est de règle dans nombre de langues, soit qu'elles n'aient pas de *flexions* (c'est-à-dire pas de conjugaisons ni de déclinaisons) soit qu'elles n'aient pas de suffixes ou de préfixes spécifiques de ces deux catégories. C'est le cas en chinois, en wolof et, dans une moindre mesure, en anglais, où des énoncés *ambigus* résultent de cette situation. Par exemple « *Time flies* » peut vouloir dire aussi bien : « Chronométrez des mouches » que « Le temps s'enfuit », même si la première interprétation est peu vraisemblable.

C'est sa capacité à fonctionner comme *prédicat* qui caractérise le verbe : dans « Le chien aboie », *le chien* est le sujet et *aboie* le prédicat ; certains verbes pourtant sont dits « de prédication incomplète » car ils n'assurent cette fonction qu'accompagnés d'un *complément* (« Le chien veut » n'est pas une phrase complète, pas plus que « Je ressemble ») ou d'un *attribut* du sujet (les verbes comme *être, paraître, devenir*) ; dans « Je pense, donc *je suis* », l'emploi absolu du verbe *être* n'est pas typique. En outre, il existe des prédicats *non verbaux*, par exemple dans les langues qui, comme les langues slaves, n'expriment pas toujours le verbe *être* : dans ce cas, le prédicat peut être un adjectif ou un adverbe ou un nom. Enfin, certaines langues ignorent radicalement l'opposition nom/verbe et le prédicat y prend une forme qui échappe à toute distinction de catégorie syntaxique.

Certaines langues, comme le wolof, de même que d'autres langues d'Afrique de l'Ouest, n'ont pas d'adjectifs. Les noms y sont qualifiés par des verbes comme « être bleu », « être grand », « être beau », etc., qui ne se distinguent pas formellement des autres verbes. Dans ces mêmes langues, beaucoup de notions que le français exprime par des *adverbes* sont rendues par des *verbes* qu'on peut qualifier d'auxiliaires. Ainsi, pour dire : « Il vient *souvent* », on dit quelque chose comme : « Il *fréquente* de venir » ; pour : « Il est ici *depuis longtemps* », « Il a *duré* ici » ; pour : « Il est *déjà* venu », « Il a *tâté* de venir » ; pour : « Il est venu *tard* », « Il a *tardé* à venir » ; pour : « Il est venu *tôt* », quelque chose comme : « Il a *tôté* à venir [1] ».

Enfin, l'article, porteur d'une triple information en français : le *genre*, le *nombre* et l'opposition *défini/indéfini*, est absent des langues qui expriment ces valeurs autrement (principalement les langues à cas comme le latin et le russe).

Ainsi, il apparaît que les classes grammaticales n'ont rien d'universel. C'est encore plus évident

1. Les traductions françaises sont ici des « gloses » en pseudo-français.

s'agissant de catégories qui sont à cheval sur la grammaire et la sémantique comme les *pronoms*, le *nombre*, le *temps*. Certaines langues ont plus de six pronoms, si — comme le tagalog des Philippines ou le pidgin de Mélanésie — elles opposent un *nous* inclusif (*miyou* en pidgin = « moi et toi ») à un *nous* exclusif (*mipela* = « moi et mon copain »). D'autres possèdent, en plus du *singulier* et du *pluriel*, un *duel* ; l'anglais *both* veut dire « les deux » comme le latin *ambo* qu'on retrouve dans *ambigu*. Nombre de langues se passent fort bien du *genre grammatical*, même dans les pronoms de troisième personne (ni le hongrois ni le wolof ne distinguent *il* de *elle*) ; beaucoup, par contre, opposent grammaticalement l'*animé* à l'*inanimé* et l'*humain* au *non-humain* : on trouve des traces de cette dernière distinction dans toutes les langues indo-européennes ; en français, elle prend la forme de l'opposition entre *qui* et *quoi*, *y* et *lui* (je pense *à qui* ? je pense *à quoi* ? j'*y* pense ; je pense *à lui*). En russe, c'est l'identité entre le génitif et l'accusatif des noms *animés*, le nominatif et l'accusatif des *inanimés* qui marque cette opposition.

Quant au système des *temps*, bien des langues en font l'économie, préférant des distinctions de type *aspectuel*. Ces langues — le hopi (une langue d'Amérique du Nord), le wolof, le chinois, etc. — privilégient ainsi le *mode de déroulement* des actions : progressif, instantané, habituel, actuel, achevé, inachevé, etc. Et qu'on ne pense pas surtout que dans de telles langues il est impossible de repérer chrono-logiquement les événements et d'opposer le présent au passé et au futur : ces valeurs se déduisent des significations aspectuelles mises en relation avec le moment où on parle. Le repérage peut également se faire de façon lexicale, par exemple avec des adverbes de temps.

Il est essentiel, pour aborder une langue étrangère, de se dégager des catégories et de la structure de la langue maternelle. On n'a pas toujours su le faire. Pendant longtemps en Europe et singulièrement en France, on a cherché à calquer les grammaires sur celle du latin. De la même façon, les premières descriptions de langues « exotiques », faites souvent par des missionnaires, reflètent la structure des langues de leurs auteurs (par exemple, la description du wolof par l'abbé Boilat au dix-neuvième siècle fait appel aux catégories du français, pourtant inapplicables à cette langue).

Moi, j'ai jamais fait de grammaire !

> Veux-tu toute ta vie offenser la grammaire ?
> Qui parle d'offenser grand-mère ni grand-père ?
>
> MOLIÈRE, *Les Femmes savantes*.

« Les langues non écrites n'ont pas de grammaire. » « Le chinois est une langue sans grammaire. » Voici deux idées reçues dans lesquelles manifestement le mot *grammaire* n'a pas le même sens.

Une langue qui ne s'écrit pas est privée de normes. La transcription d'une langue s'accompagne généralement, lorsqu'elle est destinée à une utilisation publique, d'un processus de *standardisation* qui peut comporter la mise en place de grammaires de type scolaire. L'écriture contribue forcément à figer la langue. Celle-ci devient dès lors plus facile à décrire. De là à ériger cette description en norme immuable, il n'y a qu'un pas, trop souvent franchi.

Dans le deuxième cas, la grammaire est confondue ou plutôt assimilée à la *morphologie*. Les langues *flexionnelles*, c'est-à-dire comportant non seulement des conjugaisons du verbe mais aussi des déclinaisons du nom (le latin, le russe, l'allemand, etc.) ont une morphologie *complexe*. La forme des mots est soumise à de grandes variations selon leur fonction. Il y a là une charge pour la mémoire, qui donne à ces langues une réputation de difficulté*. Tous ceux qui ont fait du latin ou du grec au lycée se souviennent des heures passées à mémoriser *rosa rosa rosam* et la suite. Les langues *isolantes*, dont le chinois, comportent des mots le plus souvent monosyllabiques et toujours invariables. Cela ne les rend pas faciles pour autant, les difficultés étant ailleurs, mais explique l'illusion de l'absence de « grammaire ».

Il est banal aujourd'hui d'opposer la grammaire *prescriptive* ou *normative*, celle de l'école, à la grammaire *descriptive*, celle des linguistes. D'un côté la langue telle qu'elle devrait être, de l'autre la langue telle qu'elle est. Corneille et Racine au pays du langage. Voilà donc au moins deux sens du mot *grammaire* qui sont assez clairement définis. Mais, qu'il s'agisse de l'une ou de l'autre grammaire, il s'agit toujours d'énoncer, de recenser, d'extérioriser les règles que tout locuteur a intériorisées en apprenant sa langue. S'en tenir à cette grammaire *extérieure au sujet parlant* aboutit justement à dire qu'une langue non décrite par les linguistes et/ou ne faisant pas l'objet d'un apprentissage systématique de type scolaire est dépourvue de grammaire.

Il existe dans notre société un véritable terrorisme de la grammaire. Molière le tournait déjà en ridicule dans *les Femmes savantes*. Combien de gens se croient obligés de s'excuser : « Moi, je n'ai jamais fait de grammaire », oubliant que : « Quand on se fait entendre, on parle toujours bien. »

Pourtant, on « fait » de la grammaire comme Monsieur Jourdain faisait de la prose : sans s'en apercevoir. La grammaire *interne* du locuteur se construit de façon inconsciente.

La grammaire prise dans ce troisième sens n'est autre que la somme des règles mises en œuvre inconsciemment par les *locuteurs natifs* de la langue pour former des *énoncés acceptables*. Les grammaires des linguistes ne sont que des tentatives, incomplètes et imparfaites à ce jour, pour formuler et expliciter ces règles, autrement dit pour en *rendre compte* (c'est là tout l'objet de la linguistique).

Qu'est-ce qu'un *locuteur natif* ? C'est celui qui parle sa langue *maternelle*, ou plus précisément celui qui parle avec une aisance totale une langue acquise dans la première enfance. Ce n'est pas nécessairement la langue de la famille, ni celle du pays de naissance ou du pays de résidence. On peut naturellement être locuteur natif de plusieurs langues, mais il est rare qu'une langue ne prenne pas le pas sur les autres. Supposons un enfant né dans une famille d'émigrés maghrébins à Paris, un Beur autrement dit. Une forme d'arabe dialectal est probablement sa langue maternelle. Mais on peut difficilement le considérer autrement que comme locuteur natif du français dès lors qu'il entre à l'école vers quatre ans.

Le locuteur natif est détenteur d'une *compétence* de la langue partagée avec les autres membres de la communauté linguistique. Il est capable de se servir de son *intuition* pour formuler des *jugements* sur sa langue, de se prononcer sur la *grammaticalité* d'un énoncé. Il est celui qui peut légitimement trancher : « Ça, non, je ne le dirais pas ; ça, oui, ça peut se dire », même s'il peut lui arriver d'hésiter (les jugements d'acceptabilité sont sujets à des fluctuations). Quel que soit son statut social, quel que soit le dialecte qu'il parle, le locuteur natif a toujours raison lorsqu'il fait confiance à son intuition.

Un problème se pose dans le cas des grandes langues véhiculaires. L'anglais est parlé majoritairement aujourd'hui par des locuteurs *non natifs*, ou bien, dans les pays où cette langue est le véhicule officiel de l'enseignement et de l'administration, par des locuteurs *quasi natifs*. Le terme de quasi natif s'applique également aux Africains francophones « lettrés », qui ont fait toute leur scolarité en français. La compétence du locuteur natif n'est donc pas si aisée à cerner, surtout si on tient compte de *l'insécurité linguistique*, qui frappe tout autant les locuteurs quasi natifs cultivés que les locuteurs natifs de milieu défavorisé. Cette notion est pourtant d'une importance capitale dans la réflexion moderne sur la langue.

Naturellement, dans les sociétés d'écriture,

l'apprentissage de la grammaire scolaire, d'une norme idéalisée, interfère avec l'intuition du locuteur natif. La grammaire prescriptive est obligée de faire des choix, de trancher, de tracer des frontières nettes entre le correct et l'incorrect. Or, ce qui caractérise la grammaire interne que porte tout locuteur, c'est une fois de plus la variation et le flou. La langue est condamnée au flou. Est flou le contour même de la langue, comme on l'a vu ; est floue la frontière entre dialectes ; de même est floue la frontière entre ce qui se dit et ce qui ne se dit pas, entre ce qui est *grammatical* et ce qui *agrammatical*. La standardisation d'une langue a justement pour but de corriger ce flou : d'où le sentiment qu'ont les francophones, par exemple, d'être sous la dépendance d'une grammaire externe et de n'avoir pas qualité pour décider du *bon usage*. On se décharge ainsi sur les spécialistes de la langue, seuls détenteurs légitimes de la norme.

La langue
maternelle

« Une langue maternelle ne s'oublie jamais », « la langue maternelle est celle que l'on parle le mieux », entend-on déclarer souvent. La langue maternelle est par définition la langue de l'enfance, celle où s'investit de manière privilégiée le locuteur. Mais quelle est la place et le statut de la langue maternelle chez l'individu multilingue, celui qui n'a pas la chance (est-ce vraiment une chance ?) de vivre en symbiose avec une langue unique, sans avoir à faire de choix dans son expression quotidienne, ni subir la loi d'une langue seconde, souvent imposée par des circonstances politiques ou économiques sur lesquelles il n'a aucune prise ?

Tout d'abord, il est faux qu'une langue maternelle ne s'oublie jamais. Des millions d'individus de par le monde se trouvent dans une situation que l'on peut qualifier de « désarroi linguistique ». Arrachés à leur terre natale, ils perdent progressivement la maîtrise de la langue maternelle (même lorsqu'ils constituent des groupes homogènes d'émigrés, *a fortiori* lorsqu'ils sont isolés) sans jamais acquérir parfaitement la langue du pays d'accueil. Plus le locuteur est jeune, plus la langue seconde se substitue à la première, processus favorisé par le désir d'assimilation. Plus il est âgé, plus la langue première résiste et plus la langue seconde se refuse à lui. Le bilinguisme vrai — l'égalité totale entre les deux langues — est assez rarement observé. Pour des raisons évidentes, les facteurs socioculturels sont déterminants en la matière. Seuls les individus ayant un bon niveau culturel et une conscience aiguë de l'enjeu que constitue la maîtrise des langues ont des chances de sortir gagnants du conflit, faisant du bilinguisme vrai une source d'enrichissement personnel et une compétence appréciée. Car parler plusieurs langues — on l'ignore trop souvent — suppose un travail constant, une vigilance de tous les instants, pour éviter les pièges des interférences, des calques et emprunts plus ou moins inconscients, de la *sabirisation* progressive, dans le cas des plus démunis, qui mène à un appauvrissement de l'expression et donc de la pensée. J'ai connu un vieux jardinier russe qui avait presque tout oublié du russe et qui ne parlait pratiquement plus à personne tant son français était mauvais. Comment il pouvait continuer à penser reste une énigme.

Contrairement aux pidgins qui, bien que constituant des systèmes *pauvres*, sont utilisés de façon bilatérale entre locuteurs n'ayant pas d'autre langue en

commun, le *sabir* est une forme de langage déformé
utilisé *unilatéralement* par les membres d'un groupe
mal acculturé dans leurs relations avec le groupe
dominant, par exemple les travailleurs immigrés non
alphabétisés [1].

Mais, quelle que soit sa maîtrise de l'une ou l'autre
langue, un locuteur vit rarement dans la sérénité
l'écartèlement de son moi entre plusieurs champs linguistiques. On observe dans le monde de nombreuses situations dites de multilinguisme institutionnalisé,
lorsque par exemple une langue officielle non maternelle s'impose contre une ou le plus souvent plusieurs
langues nationales parlées par le peuple. C'est généralement le cas en Afrique où la langue officielle peut
être le français, l'anglais ou le portugais. Les individus bilingues, le plus souvent membres d'une élite,
se trouvent dès lors écartelés entre une langue dominante, imposée par les avatars de l'histoire et qui,
même maîtrisée, reste étrangère, et une langue dominée, langue de la tradition, de l'identité culturelle,
de la famille, de l'enfance. C'est dans cette langue
que le locuteur s'investit affectivement, sur un mode
nostalgique et rêveur car elle représente à la fois les
valeurs du passé idéalisé et d'un avenir indépendant
et digne ; sur un mode de culpabilisation aussi, car,
dans le cas des élites assimilées, la langue dominante
prend le pas sur la langue maternelle, menacée jus-

1. Voir à ce sujet Azouz Begag, *Le Gone du Chaaba*, Paris,
Éd. du Seuil, 1986

tement par l'oubli, ce qui fait naître parfois un sentiment de trahison. Mais, dans le même temps, au moins chez les élites africaines francophones, un investissement très fort s'observe également dans la langue française, qui se manifeste par un purisme, un attachement au bon usage et à la norme beaucoup plus accusés qu'en France même.

On pourrait penser que chacun aime sa langue maternelle, que, même à moitié oubliée, elle reste le symbole du paradis perdu de l'enfance et du rapport privilégié à la mère. Le rejet, la haine de la mère peut provoquer le rejet, la haine de la langue maternelle, comme chez le schizophrène Louis Wolfson, qui a relaté dans un livre étonnant[1], écrit dans un français sabirisé, ses tentatives pour se délivrer de l'anglais, langue de la mère haïe, dans laquelle il refuse de s'investir et qu'il est donc obligé de déguiser au prix d'un labeur acharné sur diverses langues étrangères, pour pouvoir malgré tout s'en servir.

1. *Le Schizo et les Langues*, Paris, Gallimard, 1970.

C'est pas
dans le dictionnaire!

> Je fis souffler un vent révolutionnaire.
> Je mis un bonnet rouge au vieux dictionnaire.
>
> VICTOR HUGO

« Ce qui n'est pas dans le dictionnaire n'est pas un mot », telle est la règle implacable du jeu de Scrabble et autres Boggle et Diamino. Une romancière[1] disait récemment de l'héroïne de son roman : « C'est un chirurgien, car le mot *chirurgienne* n'existe pas officiellement. »

Qu'est-ce qui fait qu'un mot est reconnu comme tel par une communauté linguistique ? Dans une société dont la langue est soumise à une norme, comme c'est le cas en France, les mots nouveaux, pour être membres légitimes de la langue, doivent être non seulement consacrés par l'usage spontané qu'en font les locuteurs, mais sanctionnés par des instances, régentés par décret, être reçus, solennellement, dans les dictionnaires. Certains devront auparavant passer par l'antichambre, ou le purgatoire si on pré-

---

1. Nicole Avril au cours de l'émission *Apostrophes*.

fère, des dictionnaires de mots nouveaux, de mots
« dans le vent » (le dernier en date étant le *Dictionnaire du français branché*[1]).

Les mots de la langue constituent, une fois de plus,
un ensemble aux contours incertains. On ne peut pas
dénombrer les mots d'une langue. Tout au plus peut-
on donner un ordre d'idée. La diversité des registres,
l'abondance des argots et jargons spécialisés, le fait
que certains mots tombent en désuétude tandis que
de nouveaux mots sont créés tous les jours rendent
tout décompte arbitraire. Les dictionnaires constituent des tentatives pour rendre compte des différents
types d'usage adaptés à différents usagers à une époque donnée. Ils sont régulièrement révisés ; chaque
année des mots sont ajoutés au *Petit Larousse*, cependant que d'autres sont retranchés. Les lecteurs de *la
Vie mode d'emploi* de Georges Perec se souviennent
du personnage de Cinoc, le tueur de mots professionnel. Les choix des auteurs de dictionnaires, les *lexicographes*, ne sont pas nécessairement les nôtres et
résultent de compromis inévitables. Les dictionnaires sont pleins de mots peu usités alors que des mots
très courants n'y figurent pas, tout simplement parce
que le lexicographe les estime trop familiers ou parce
que l'usage en est encore trop fluctuant, comme c'est
le cas pour les néologismes et les mots d'emprunt à
la mode. Il arrive que le même vent qui les apporte

1. De Pierre Merle, Paris, Éd. du Seuil, 1986.

les emporte. Il est donc avisé d'attendre quelque temps avant de les enregistrer. En outre, les différents dictionnaires ont des attitudes différentes vis-à-vis des mots « populaires », « familiers » et « argotiques », surtout lorsqu'il s'agit de mots *tabous* : gros mots, injures, insultes, mots du domaine sexuel. Enfin, la frontière entre les diffférents *registres* est ténue et les mots que nous tenons pour argotiques sont quelquefois de bons vieux mots attestés depuis des siècles sans aucune connotation « familière » comme *bouquin, caboche, patate* ou *roupiller*.

Ce qui est sûr, c'est que les mots évoquent autre chose que leur sens propre. Ils sont perpétuellement soumis à des jugements de valeur : il y a les mots chic et les mots choc ; les mots vulgaires, distingués, malpropres, pédants, harmonieux, poétiques ou malsonnants... On n'est jamais indifférent aux mots de sa langue.

Un lexique abondant est généralement considéré comme une richesse et on parle volontiers de langues *riches* et de langues *pauvres*.

L'inventaire des mots français constitue le *Trésor de la langue française* auquel travaillent depuis des décennies les lexicographes. L'abondance de mots dans une langue renvoie sans doute à une culture diversifiée, elle est l'expression d'un peuple dynamique et puissant. Beaucoup de langues, dont le français au seizième siècle, ont connu des phases

88

d'enrichissement systématique du vocabulaire, s'ins-
crivant dans une période de vitalité et d'expansion
de leurs locuteurs.

Mais existe-t-il une moyenne ou une norme de référence pour décider si une langue est riche ou pauvre ?
La richesse, est-ce vraiment l'abondance de signes ou
la *flexibilité* de ceux-ci, leur aptitude à construire des
significations multiples ?

Fondamentalement, toute langue répond aux
besoins expressifs de ses locuteurs, et les champs lexicaux sont plus ou moins développés en fonction des
centres d'intérêt des communautés linguistiques.
L'exemple classique en est la diversité des termes dési-
gnant la neige chez les Esquimaux, que rien ne saurait traduire dans nos langues. Les pidgins peuvent
être considérés comme pauvres dans la mesure où ils
recourent de préférence à la combinaison de quelques
mots de base plutôt qu'à une diversification des formes : ainsi en néo-mélanésien « mauvais » se dit
nogood, alors qu'en anglais, base de ce pidgin, c'est
bad qui s'oppose à *good*.

On peut dire aussi qu'une langue s'appauvrit
lorsqu'elle cesse de créer au profit de l'emprunt massif
à une langue parlée par un groupe plus puissant. Ceci
s'observe en Afrique dans les situations néocolonia-
les. Tout le vocabulaire technique, administratif
et politique est alors emprunté. C'est aussi, malheureusement, le cas en France où le recours au
néologisme a été trop longtemps stigmatisé par les

89

puristes. Quoi d'étonnant alors si on emprunte à l'anglais ?

On estime généralement, malgré l'impossibilité de toute évaluation précise, que l'anglais est trois ou quatre fois plus riche en vocabulaire que le français. C'est vrai, et il y a à cela plusieurs raisons : les mots dialectaux ne sont pas stigmatisés dans les cultures anglophones ; ils sont au contraire valorisés et recherchés par les écrivains ; par ailleurs, l'étendue des jargons techniques, une créativité plus grande s'ajoutent à un phénomène structurel déjà ancien : l'anglais a conservé en grand nombre des *doublets*, issus les uns du fond anglo-saxon et les autres du fond roman ou latin. Ces doublets n'appartiennent pas au même registre ; les mots romans ont tendance à être précieux ou recherchés et les mots du fond autochtone plus familiers ; il en est ainsi des paires *felicity/happiness, intelligent/smart, residence/home, liberty/freedom*, etc.

La *synonymie* (plusieurs mots pour un même sens) comme la *polysémie* (plusieurs sens pour un même mot) sont constitutives de toutes les langues et il est illusoire de vouloir, comme certains inventeurs de langues artificielles, établir des correspondances univoques entre concepts et mots. Dans toute langue, les relations de sens s'établissent par comparaison et par opposition. Une langue qui fonctionne est par là même une langue riche.

Touche pas
à ma langue !

Les langues ne suivent le mouvement de la civilisation qu'avant l'époque de leur perfectionnement. Parvenues à leur apogée, elles restent un moment stationnaires, puis elles descendent sans pouvoir remonter.

CHATEAUBRIAND

France, ton français fout le camp ! titre un pamphlet récent, s'insurgeant contre la « décadence » de notre langue.

En cette fin de siècle est très largement répandu le sentiment que « la langue française dégénère ». Le changement linguistique est généralement vécu comme une décadence et non comme un progrès, contrairement à ce qui se passe dans d'autres domaines de la vie sociale.

Dans la langue s'inscrit le passage du temps. Lentement, inexorablement, la langue évolue. Mais, à chaque instant de son évolution, la langue, tant qu'elle reste vivante, c'est-à-dire parlée, réalise un subtil équilibre entre gains et pertes. Elle n'est ni jeune

91

ni vieille mais constamment renouvelée. Ni le progrès ni la décadence n'ont de sens pour un linguiste. La langue n'est pas un organisme vivant ; on ne peut donc l'appréhender en termes évolutionnistes. Ce n'est pas non plus un produit culturel ; elle n'est donc ni « perfectible », comme un outil ou un instrument de précision, ni « détériorable », comme peut l'être un produit artisanal traditionnel passé au stade de la production de masse.

Il est possible, au demeurant, d'interpréter un même changement comme étant négatif ou positif. Prenons deux langues apparentées comme l'anglais et l'allemand. L'une a perdu ses déclinaisons, l'autre pas. On peut en tirer au choix les conclusions suivantes : 1) l'anglais est une langue dégénérée ; l'allemand, au contraire, a su préserver un fonctionnement économique et harmonieux ; 2) l'anglais est une langue dynamique et novatrice, qui a su se débarrasser de difficultés inutiles et encombrantes pour la mémoire ; elle est plus « évoluée » que l'allemand.

Il semble que, dans toutes les sociétés, même celles qui ne connaissent pas l'écriture et les critères littéraires, on porte des jugements sur la langue, sur son degré de correction et de pureté. Le discours sur la dégénérescence de la langue n'est donc pas caractéristique des peuples de la tradition écrite. Les wolophones âgés déplorent l'« abâtardisation » de la variété urbaine du wolof tel qu'il est parlé à Dakar, où il fonctionne comme langue véhiculaire. C'est que la tradition orale — la mémoire des vieillards — est un conservatoire des états plus anciens de la langue au même titre que les textes écrits. La langue des contes wolof collectés auprès des *griots* ou conteurs diffère sensiblement de l'usage contemporain et sert de base à la reconstruction de formes plus anciennes.

La nostalgie nourrit des attitudes passéistes aisément récupérables par l'idéologie. C'est pourquoi purisme semble rimer avec conservatisme. La langue vieillit, en apparence, avec celui qui la parle et qui s'identifie à elle. Mais l'homme ne veut pas vieillir ; il lit dans l'évolution de la langue sa propre décadence. Aussi souhaite-t-il conserver la langue dans la pureté, l'intégrité de sa jeunesse. De même qu'on souhaite transmettre intactes à ses enfants les valeurs et la culture du passé, de même on espère leur transmettre l'héritage de la langue. Mais, de manière insoutenable pour le puriste, ce sont les jeunes générations qui, en s'appropriant la langue, la changent. La langue se trouve ainsi perpétuellement rajeunie et non vieillie, tandis que ses locuteurs, inexorablement, vieillissent. Accepter le changement, c'est se sentir d'une certaine façon dépossédé, c'est perdre un pouvoir *sur* et *par* la langue, même si la condamnation est formulée le plus souvent sous forme de jugements esthétiques : la langue si belle et si pure d'autrefois est devenue vulgaire, laide, triviale, pauvre et sans nuances. Et c'est pourquoi la langue est un tel enjeu dans le conflit des générations comme des classes sociales. Car le jugement sur la langue s'étend aux locuteurs qui la parlent. Un homme distingué parle un français admirable, un loubard ne saurait parler qu'un français déplorable.

De la résistance au changement procède également la sacralisation des langues mortes, l'obsession d'un passé de perfection qui fait du latin, du grec ou de l'hébreu anciens des modèles de logique*, de clarté* et de beauté* jamais surpassés. Tout état de langue dépassé — à condition qu'il en subsiste des traces écrites — peut être extrait de sa continuité historique pour être érigé en modèle de perfection. Ainsi, le français *classique* est souvent considéré comme un sommet. Ce qui importe, c'est que les locuteurs ne puissent plus y toucher. Et il n'est guère étonnant que les inventeurs de langues artificielles, recherchant la perfection d'emblée, aient désiré le plus souvent créer des systèmes stables, immuables, sur lesquels le temps n'aurait pas de prise. Or, il importe de bien se rendre compte que, loin d'être une tare, le fait que l'homme change en permanence son système de communication est une particularité de l'espèce, qui contribue à mettre celle-ci au-dessus des autres espèces vivantes. C'est d'ailleurs son aptitude au changement et son adaptabilité qui expliquent le relatif succès de l'esperanto, parmi les centaines de projets concurrents.

Celui qui s'érige en gardien de la langue exerce par là une forme d'abus de pouvoir qui va contre la nature et la réalité du langage. Le purisme linguistique, la volonté de conserver à la langue une forme immuable — identifiable en fait à une élite de lettrés — alors que tout l'appelle à changer, est une attitude à la fois irrationnelle et irréaliste.

Irrationnelle parce que le puriste nie ce qui est dans la nature même de la langue : l'évolution d'une part, la variation — la prolifération de dialectes sociaux ou régionaux, de registres et argots divers — d'autre part. Car le changement linguistique est mû par deux forces distinctes ; l'une procède de la langue elle-même, est inhérente à sa logique interne, l'autre procède de la communauté linguistique et des conditions socio-historiques de son devenir.

Irréaliste parce que, quelle que soit la force des efforts conjugués des différentes instances de répression linguistique (l'École, l'Académie, le Commissariat général de la langue française, les auteurs de grammaires et de dictionnaires), on n'a jamais arrêté l'évolution d'une langue, sauf en cessant de la parler.

L'idée que la langue française dégénère est une idée relativement moderne, liée à la diffusion même d'une variété standardisée (c'est-à-dire *normée*, enseignée à l'école) dans toutes les couches sociales, diffusion qui provoque des réactions élitistes conservatrices. Tant que la langue n'était pas fixée dans son usage écrit et dans son orthographe, c'est-à-dire jusqu'au dix-huitième siècle, on avait au contraire le sentiment que la langue était perfectible et progressait en s'enrichissant. Ce sentiment prévalait au seizième siècle par exemple. On sollicitait alors les archaïsmes, les régionalismes, les néologismes pour l'enrichissement du français. Et pourtant le français du seizième siècle était soumis à l'influence de l'italien (influence souvent dénoncée et combattue) tout comme celui du vingtième est envahi par l'anglais. Seulement, voilà : le français du seizième n'est pas fixé, il a son avenir devant lui. Celui du vingtième a dépassé son point de perfection. Le sentiment de progrès ou de dégénérescence est donc lié à l'aspect conservateur ou au contraire novateur que revêt l'action *volontariste* sur la langue, action qui est toujours le fait d'une minorité.

Bien qu'on date la fixation de la langue de l'époque classique, l'établissement de normes immuables et imposées d'en haut n'entrait pas dans le projet des grammairiens de l'époque. N'en déplaise à Molière, Vaugelas, par exemple, se veut non prescriptif et recherche l'*usage* défini comme *ce qui se dit*. Il découvre ainsi, bien avant la linguistique moderne, le recours au *jugement d'acceptabilité* spontané et non réfléchi fondé sur l'intuition du locuteur natif : « En parlant sans réflexion et sans raisonner sur la phrase, ils parlaient selon l'Usage et par conséquent parlaient bien, mais, en la considérant et l'examinant, ils se départaient de l'Usage, qui ne peut tromper en matière de langue, pour s'attacher à la raison, ou au raisonnement, qui est toujours un faux guide en ce

97

sujet, quand l'usage est contraire.» Malheureusement, après avoir énoncé cet excellent principe, Vaugelas donne en exemple la langue de la Cour. D'où l'interprétation abusivement prescriptive de toute son œuvre.

Le purisme s'est développé en France progressivement, au fur et à mesure que la langue était institutionnalisée. Le désir de freiner le changement linguistique était déjà très répandu au dix-neuvième siècle comme l'atteste Victor Hugo : «La langue française ne s'est pas fixée et ne se fixera point. C'est en vain que nos Josués littéraires crient à la langue de s'arrêter. Les langues ni le soleil ne s'arrêtent pas. Le jour où elles se fixent, c'est qu'elles meurent.»

Aujourd'hui, bien que le public soit mieux informé de la nature du changement linguistique, le purisme se perpétue et se développe. C'est une attitude dont la presse se fait régulièrement l'écho à travers le courrier des lecteurs ou les rubriques spécialisées dans la «vie du langage». En réalité, on a tendance à confondre l'évolution de la langue dans sa variété standard et les divergences entre dialectes de classe et registres. Si tant de cris d'alarme se font entendre aujourd'hui, c'est que le français standard, issu du français cultivé, se trouve bousculé par d'autres variétés non standard et ce jusque dans la presse et la littérature (ainsi un Alphonse Boudard peut-il écrire en argot et être reconnu comme auteur). D'où l'impression de corruption qui accable les détenteurs et transmetteurs de la norme confrontés à des locuteurs d'horizons sociolinguistiques divers. Tout se passe, en effet, comme s'il existait des locuteurs légitimes, investis d'une autorité et donc d'une responsabilité envers la langue, et d'un autre côté des locuteurs non légitimes, des usurpateurs.

Lorsque deux ou plusieurs variétés de la même langue sont utilisées en alternance ou bien se partagent l'espace social, la variété la plus prestigieuse est considérée par la majorité des locuteurs comme plus belle, plus harmonieuse, plus pure, etc. Beaucoup de locuteurs défavorisés ont d'ailleurs intériorisé leur propre exclusion du «bien parler», du «beau langage». Or, la variation est *inscrite dans la langue*. D'autre part, la variété des parlers reflète la structure de la société ; la langue est l'un des marqueurs sociaux les plus puissants. Une langue parlée de façon complètement uniforme supposerait donc une société sans classes. Or, la démocratie implique une école de masse. En réalité, ce que craignent nos censeurs, c'est un «nivellement par le bas», dénoncé plus globalement au niveau du système scolaire tout entier. Et on s'afflige en même temps de la décadence de la culture générale.

Les puristes trouvent un appui chez certains fanatiques de la francophonie mal comprise. La défense de la place du français et des cultures francophones dans le monde se confond alors avec la défense de la norme menacée, du sacro-saint bon usage. Les élites africaines sont les premières à se fourvoyer dans cet amalgame douteux et c'est bien dommage. C'est d'autant plus aberrant que la francophonie ne peut résister et se développer que dans la diversité : *des* français et non pas *un* français. Il est contradictoire de vouloir à la fois que le français ne change pas et qu'il soit parlé par de plus en plus de monde.

Telle qu'en elle-même enfin l'éternité la change

> Le temps change toute chose : il n'y a aucune raison pour que la langue échappe à cette loi universelle.

FERDINAND DE SAUSSURE

> Ce n'est point chose vicieuse mais grandement louable, emprunter d'une langue étrangère les sentences et les mots et les approprier à la sienne.

JOACHIM DU BELLAY

Plutôt que de s'indigner de la soi-disant dégénérescence de la langue, il paraît plus intéressant de s'interroger sur les *causes* du changement linguistique. L'homme a toujours été intrigué, fasciné par ce phénomène et il n'a pas manqué d'échafauder des théories pour l'expliquer. Au dix-neuvième siècle, la thèse du parallélisme entre l'ontogenèse et la phylogenèse, thèse selon laquelle l'évolution de l'individu récapitule celle de l'espèce, a fait accréditer l'idée que le changement linguistique avait son origine dans le langage enfantin et que les enfants en étaient les ins-

101

tigateurs. A chaque génération, l'enfant relancerait ainsi un processus évolutionniste en spirale. Admettre ce point de vue revient à dire que la langue est perpétuellement dans l'enfance. Ou plutôt, qu'elle retombe en enfance comme l'homme à la fin de sa vie. Éternelle séduction de la métaphore du vivant, comme on l'a déjà vu. S'il est vrai que certaines lois qui font évoluer la langue, comme les *réfections analogiques** par exemple, sont également caractéristiques du langage enfantin, les formes qui en résultent ne persistent pas chez l'enfant dans la mesure où il est soumis en permanence à la correction tant passive qu'active des adultes. Les enfants, contrairement aux adolescents, ne forment pas de microsociétés. Leurs « innovations » ne sont que les indices du processus d'apprentissage. C'est ce qui explique d'ailleurs que les formes les plus irrégulières dans toute langue concernent les mots les plus fréquents et que néanmoins ce sont ces mêmes formes qui se maintiennent le mieux. Un enfant de quatre ans dit : « je *sétais* » pour « j'étais », par analogie avec les formes « je suis », « je serai » (réfection analogique). Il n'en reste pas moins que l'irrégularité du verbe *être* continue à résister. Il dit de même : « je m'*ai* lavé » et pourtant les verbes réfléchis continuent à former leurs temps composés avec *être* et non *avoir*.

Les innovations de l'enfance sont donc rejetées par la communauté linguistique. Les réfections et régularisations touchent au contraire les mots moins courants, utilisés par les adultes, et les mots nouveaux (*néologismes*) ou empruntés. Ainsi l'alternance *al/aux* se maintient-elle parfaitement dans des mots comme *cheval/chevaux*, mais déjà moins bien dans *chenal* ou *fanal* (interrogés à brûle-pourpoint, les gens hésitent) ; elle n'affecte pas de mots nouveaux, comme le prouve l'histoire du directeur de zoo qui cherchait à acquérir deux chacals (*chacal* est un mot emprunté au turc). Incertain du pluriel, il écrit au chasseur : « S'il vous plaît, envoyez-moi un chacal. PS : Pendant que vous y êtes, envoyez-m'en deux. » Des formes comme *visionner, réceptionner* ou *solutionner*, maintes fois dénoncées, sont typiquement des innovations adultes. On peut noter au passage, d'ailleurs, que les deux premiers verbes sont nettement distincts, par le sens, des verbes *voir* et *recevoir*, dont ils apparaissent comme la régularisation ; en effet, ils expriment une action délibérée et non un état passif.

En fait, l'analogie entre langage enfantin et changement linguistique ne tient que parce que les « points faibles » sont les mêmes.

La théorie du moindre effort est souvent invoquée comme principe explicatif. Elle permet de mettre au compte de la paresse articulatoire, du laisser-aller, et même de la baisse des valeurs culturelles, les changements perçus comme « pertes » et donc comme décadence ; ainsi les mots tronqués comme *métro, fac, ado, restau*, etc., les sigles lexicalisés comme *samu, zup, tuc, sida* ou *paf*, les contractions phoné-

tiques comme *at'taleur* (à tout à l'heure), *p'tête* (peut-
être), la perte d'oppositions phonologiques
(*brin/brun* et *pâte/patte*) et de distinctions morphologiques (par exemple, le futur n'est plus nettement
distingué du conditionnel : je ser*ai* = je ser*ais*).

En *Black English*, il existe une tendance à la nasa-
lisation des voyelles suivies d'une consonne nasale
(elle-même de moins en moins prononcée) et à la
chute des consonnes finales. Ceci confirme comme
on l'a vu le stéréotype d'une articulation « pares-
seuse » des Noirs. Ces tendances se sont pourtant
manifestées de la même façon en français ; elles sont
responsables de l'apparition des voyelles nasales dans
notre langue et de la chute généralisée des consonnes finales comme *t* dans *chat*, *p* dans *trop*, *s* dans
gros, *l* dans *fusil* et dans *il* (« i veut pas ») etc., de
la disparition des voyelles inaccentuées (*e* muet).
L'impression de paresse est confirmée par le fait que
la norme écrite reste immuable et fait état de sons
que plus personne ne prononce. Il est vrai que les
consonnes finales réapparaissent grâce à la liaison,
donnant lieu parfois à ce qu'on appelle des fausses
liaisons. Il est vrai aussi que le même locuteur qui
dira naturellement, *I's'rav'nu* fera l'effort de produire : « Il sera venu » dans des contextes plus
officiels.

Mais quel est donc le *moteur* de l'évolution de la
langue ? La tradition linguistique distingue les causes *internes* des causes *externes*. La langue change en

quelque sorte d'elle-même, obéissant à sa logique propre, à l'insu des locuteurs, bien qu'ils soient à tout
moment les acteurs de ce processus. C'est là qu'inter-
vient la notion de point faible, c'est-à-dire de point
sensible à l'*usure* ou à la *réfection*. La notion de
paresse n'a pas grand sens dans la mesure où c'est
la langue elle-même qui offre des failles, des points
de moindre résistance.

Les changements de type interne sont de nature
systématique. Ainsi, les changements phonétiques ne
touchent jamais des mots isolés, au hasard. Ils se produisent partout dans le même environnement et pro-
voquent des réactions en chaîne. Cependant, on sait
maintenant que le processus de propagation d'un
changement peut prendre plusieurs siècles. Ainsi, par
exemple, la différenciation entre noms et verbes
homophones en anglais au moyen de l'accent toni-
que (*a record/to record*), apparue au seizième siècle
à la suite de la chute des désinences, est encore en
cours de généralisation aujourd'hui.

Les changements phonétiques ont été exhausti-
vement étudiés. On en connaît non seulement le
mécanisme mais les conditions — sociales et psy-
chologiques — de déclenchement. On en connaît les
lois, même si celles-ci ne sont pas sans exceptions,
comme on l'a cru au dix-neuvième siècle. Le princi-
pal moteur en est non la loi du moindre effort mais
le principe d'*économie*, qui provoque la disparition
des oppositions *non fonctionnelles*, c'est-à-dire dont

105

la rentabilité est faible. Un exemple classique en est la perte, au cours des cinquante dernières années, de l'opposition entre la voyelle nasale de *brin* et celle de *brun* (en tout cas dans la prononciation de Paris et de la moitié nord de la France). Cette opposition, phonétiquement perceptible si on veut s'en donner la peine, ne distingue que deux paires de mots : à côté de *brun* (nom ou adjectif) et *brin* (nom), *emprunt* (nom) s'oppose à *empreint* (participe). Partout ailleurs, les deux nasales peuvent être prononcées de la même façon sans provoquer de confusion : l'article *un* ne peut être confondu avec le préfixe *in-*. Cette opposition est donc d'un intérêt très faible. Par contre, malgré la tendance à la symétrie dans les changements phonétiques, les voyelles nasales d'arrière, *an* et *on*, continuent à être distinguées car elles permettent d'opposer de nombreuses paires de mots : *sang/son, banc/bond*, etc.

Il faut savoir que, fondamentalement, les systèmes phonétiques sont instables et les prononciations labiles. Les distinctions phonologiques, qui permettent d'opposer le sens des mots, sont en quelque sorte « renégociées » au fur et à mesure des glissements phonétiques, afin de préserver toujours la fonction distinctive, c'est-à-dire la part du sens.

Les changements lexicaux sont tellement rapides qu'ils sont facilement observables par tout un chacun. La *néologie*, c'est-à-dire la création de mots nouveaux à partir de radicaux existants, l'emprunt et les

106

Telle qu'en elle-même enfin l'éternité la change

glissements de sens en sont les principaux acteurs ; on sait à quel point l'*hyperbole* ou exagération contribue à user, à atténuer le sens des mots, de *terrible* à *génial* en passant par *formidable* et *débile*. La *métaphore* et la *métonymie* sont également des sources puissantes de renouvellement du lexique : lorsque fut écrite la chanson *Au clair de la lune*, la *plume* de l'ami Pierrot provenait encore d'un oiseau ; le *feutre* dont on use aujourd'hui est issu par métonymie du « stylo à plume de feutre », dans lequel l'emploi de *plume* est devenu une métaphore. En même temps, les cheminements du sens se font oublier pour les mots les plus courants, les plus usés en quelque sorte. Ainsi, on continue à parler de « lever » et de « coucher » du soleil et personne ne pense plus que le mot *travail* est associé à la douleur (sauf en obstétrique où *travail* veut dire « souffrance de la mère »), etc.

L'invasion de la langue par des mots étrangers, qui remonte au seizième siècle avec la mode des italianismes, culmine aujourd'hui avec le « franglais », dénoncé naguère par Étiemble dans un pamphlet fameux : *Parlez-vous franglais ?* En fait, ce qui est inquiétant, ce n'est pas le phénomène de l'emprunt lui-même, dont toute langue se nourrit, mais la perte de l'aptitude à « digérer » les mots étrangers en les intégrant phonétiquement et orthographiquement. Qui se souvient que *boulingrin* et *paquebot* (empruntés au dix-septième siècle) viennent respectivement de *bowling-green* et de *packet-boat* ou encore que *redin-*

107

gote (dix-huitième) vient de *riding-coat*? Aujourd'hui
par contre les *parkings* et autres *campings* ne laissent pas oublier leur origine (sauf chez Raymond
Queneau).

Les changements syntaxiques, eux, sont beaucoup
plus difficiles à analyser et à observer, parce que très
lents. Ils sont liés pour partie à des faits phonétiques
comme la chute des désinences inaccentuées en ancien
français. De langue *flexionnelle* à ordre des mots
libre, la langue est passée progressivement à l'état de
langue *analytique* à syntaxe *positionnelle*, c'est-à-dire
fondée sur un ordre des mots *fixe*. En même temps
se développaient les prépositions comme indicateurs
de fonctions et l'emploi obligatoire des pronoms
comme indicateurs de personne. Ces faits sont expli-
cables en termes fonctionnels. Il s'agit de compenser des pertes morphologiques. Le principe
d'économie est sans doute responsable de l'affaiblis-
sement de formes peu distinctives comme l'imparfait
du subjonctif. Le subjonctif est d'ailleurs menacé face
à l'indicatif dans bien des cas. Son emploi est le plus
souvent une contrainte non signifiante. D'où les *fluctuations* que l'on note actuellement : « Croyez-vous
qu'il *est* là ? » alterne avec « Croyez-vous qu'il *soit*
là ? » D'autres changements se font sans apparence
de gain ni de perte, ainsi le déplacement du pronom
objet *le* dans les propositions infinitives. On disait
à l'époque classique : « Je *le* veux voir » ; on dit : « Je
veux *le* voir », aujourd'hui.

108

Telle qu'en elle-même enfin l'éternité la change

Mais ces changements au sein du système sont constamment en interaction avec des causes *externes* liées aux conditions de la vie sociale et aux avatars de l'histoire des communautés linguistiques. Il suffit, pour saisir cette relation, de noter que, lorsque les locuteurs d'une même langue sont séparés pour une raison ou une autre géographiquement et politiquement — lorsqu'il y a éclatement de la communauté linguistique —, la langue se fragmente en dialectes selon des processus identiques mais des modalités différentes. Si l'évolution de la langue n'obéissait qu'à sa logique propre, alors il n'y aurait ni dialectes ni familles de langues.

La langue peut se faire le reflet du changement social et politique. Mais elle n'évolue pas pour autant au même rythme que la société. Elle enregistre, souvent avec retard, l'évolution du corps social ; ainsi la féminisation effective des noms d'agent comme *avocate, chirurgienne*, etc., suit-elle de loin l'entrée des femmes dans ces professions. Il lui arrive aussi d'anticiper, par des tentatives volontaristes ou dirigistes, sur l'évolution sociale et/ou idéologique. C'est ce qui s'est passé en Union soviétique à la révolution d'Octobre avec l'emploi systématique de l'apostrophe *tovaritch* ; une tentative qui en rappelle une autre, celle des révolutionnaires français en 1789, qui introduisirent le tutoiement forcé entre « citoyens ». George Orwell a fait une caricature extrême du volontarisme et du dirigisme linguistiques avec la *New-*

109

speak (la « novlangue ») de la société totalitaire de *1984*.

Mais le rythme du changement linguistique est fondamentalement différent de celui du changement social parce qu'il est *régulier*. Pendant une courte période de bouleversements sociaux (par exemple une révolution), la langue ne change que fort peu. Inversement, une société immobiliste, comme sont réputées l'être les sociétés que l'on nomme « primitives », voit néanmoins sa langue changer régulièrement.

Une curieuse aberration paralysa pendant trente ans la linguistique soviétique. Le linguiste Marr soutenait dans les années vingt que la langue progressait par bonds et que le russe avait dès lors changé radicalement sous l'effet de la Révolution, devenant plus accessible à un prolétaire français qu'à un aristocrate russe. Cette théorie fut érigée en dogme. Après l'avoir soutenu, c'est Staline lui-même qui liquida ce dogme en 1950.

Les causes *externes* agissent essentiellement sur le lexique, en particulier à travers le phénomène des emprunts massifs aux langues dominantes par des langues dominées. Un exemple classique est celui de la différence entre bétail sur pied et viande de boucherie en anglais : *sheep/mutton, ox/beef, pig/pork*. Cette distinction ne s'est introduite que parce que les barons normands consommaient, tout en parlant un dialecte français, du bétail élevé par des paysans parlant un dialecte anglo-saxon. Parmi les causes exter-

110

Telle qu'en elle-même enfin l'éternité la change

nes figure l'adaptation de la langue aux besoins nouveaux, à l'évolution technologique et sociale. Ce peut être l'occasion d'une action concertée de la part de comités ou d'académies spécialisés, comme c'est le cas en France et au Québec.

Le système phonétique n'est qu'exceptionnellement touché par des influences étrangères. Le français a cependant intégré deux sons nouveaux par l'intermédiaire de mots d'emprunt : le *dj* de *jean* et de *jazz* et le *ing* de *camping* et *parking*.

Le phénomène du calque peut affecter la syntaxe, bien que celle-ci résiste elle aussi assez bien à l'emprunt. « Noah joue Lendl » est une construction calquée sur l'anglais. Le français canadien, soumis à la pression constante de l'anglais, a plus de mal que le français hexagonal à se défendre du calque syntaxique.

Les étymologies populaires, preuve d'une activité d'analyse spontanée chez les locuteurs « naïfs », sont également la source de nombreux changements linguistiques par le biais de confusions de *paronymes* (mots quasi identiques) ou de fausses étymologies, qui finissent par se répandre. Ainsi *acception* et *acceptation*, *colite* et *colique*, *recouvrer* et *recouvrir*, *éminent* et *imminent* sont-ils fréquemment confondus. De même, les *factions* rivales deviennent souvent des *fractions* rivales ; paradoxalement, une faction désigne un groupement ; c'est parce que ce mot est perçu de plus en plus comme voulant dire « groupuscule »

111

ou « partie d'un groupe » qu'il est remplacé par *fraction*. Les jours *ouvrables* ne sont pas, comme on le pense souvent, des jours où les bureaux, magasins et écoles sont *ouverts*, mais des jours où on *travaille* (du vieux mot *ouvrer*, « travailler »). *Faire long feu* n'est plus interprété comme voulant dire « échouer » et est de ce fait reformulé négativement en *ne pas faire long feu*. Une *alternative* n'est plus comprise comme comportant deux termes, d'où son nouveau sens d'*option* ou de *terme* dans un choix. Le *bikini* a donné naissance au *monokini*, comme si *bi-* y avait le sens de « deux ».

On peut incriminer également les phénomènes de mode. Il est vrai que la force du conformisme en matière de langue est aussi forte qu'en matière de vêtements. Les argots, le langage « branché », les « mots dans le vent » se présentent comme des modèles à suivre. Ce sont des phénomènes qui paraissent instables, puisqu'une mode chasse l'autre, mais qui agissent cependant en profondeur, car chaque vague qui passe laisse au moins un dépôt. Là aussi, c'est surtout le lexique qui est touché, mais tout récemment on a vu des innovations grammaticales se répandre comme une traînée de poudre. Ainsi, le passage à la classe des adjectifs du nom *galère* : « c'est une vraie galère », disait-on autrefois ; « c'est galère », dit-on aujourd'hui. Ce changement de classe est assez rare pour être noté. On peut citer aussi l'adverbe *trop* utilisé de façon absolue et quasi adjectivale dans : « Il est trop. »

112

Telle qu'en elle-même enfin l'éternité la change

Comment une expression nouvelle se répand-elle, à partir de quelle source ? Un individu peut-il avoir une influence créatrice sur la langue, phénomène collectif ? Il arrive, assez exceptionnellement à vrai dire, qu'on puisse situer précisément le point de départ d'une innovation. Ainsi l'expression « bonjour les dégâts », issue de l'usage populaire de *bonjour !* pour signaler une catastrophe, doit sa fortune à une publicité anti-alcoolique : « Plus (*adjectif*) que moi, tu meurs » a, semble-t-il, son origine dans le quotidien *Libération*.

Les innovations constituent souvent des *marqueurs d'identité*. Elles permettent à un groupe de se *distinguer*, d'où leur prestige comme modèles à imiter. Le phénomène de distinction n'est pas nécessairement le fait de classes privilégiées, au contraire. La rupture des normes linguistiques correspond souvent à une rupture de bans ; on le sait depuis longtemps pour les *argots*, qui furent à l'origine ceux des truands et délinquants.

La volonté de se distinguer est particulièrement forte chez les jeunes. L'influence linguistique la plus déterminante chez l'adolescent est celle de ses pairs, de son groupe d'âge, et non celle de ses parents ou de l'école. Ceci explique que la dynamique du changement se manifeste essentiellement entre douze et vingt et un ans. Après vingt et un ans, linguistiquement, on n'est plus dans le coup. On commence à devenir conservateur ; c'est à peine si on peut suivre une conversation de lycéens.

113

Catalogue des idées reçues sur la langue

Le *snobisme* joue également un rôle chez les locuteurs des classes privilégiées. Être snob linguistiquement, c'est laisser entendre une maîtrise parfaite de la langue standard dans sa forme la plus prestigieuse tout en maniant les argots à la mode et des formes syntaxiquement et phonétiquement relâchées, à condition que celles-ci ne soient pas porteuses du stigmate « petit-bourgeois ».

Le phénomène d'*hypercorrection*, expression de l'insécurité linguistique, de la peur de mal parler, est considéré par les auteurs anglo-saxons comme un indice majeur de changements en cours. L'imitation d'un modèle de prestige pousse à « en rajouter ». C'est là en tout cas l'origine des fausses liaisons en français. En effet le système de la liaison comporte des liaisons obligatoires et d'autres non obligatoires. Or, le langage « distingué » comporte davantage de liaisons non obligatoires. C'est de là que provient *mille-z-amitiés*.

La langue
de chez nous

Sûre, sociale, raisonnable, ce n'est
plus la langue française, c'est la
langue humaine.

RIVAROL

Les Grecs se faisaient une idée si haute de la valeur de leur langue qu'ils nommaient toutes les autres langues « barbares » (*barbare* signifiait à l'origine « baragouineur » ; on pense généralement que ce mot provient de l'onomatopée *bar bar*, représentant les sons incompréhensibles d'une langue étrangère). En France, cela a été une préoccupation constante dans la classe cultivée de hiérarchiser les langues. La recherche de la langue la plus parfaite, la plus logique, la plus harmonieuse, la plus pure a longtemps alimenté des controverses sur les mérites comparés du grec, du latin, de l'hébreu, du français, de l'italien.

Aux dix-septième et dix-huitième siècles, le rayonnement international et le prestige incontesté de la langue française (à la fois comme langue littéraire et comme langue véhiculaire remplaçant le latin) ont implanté de façon durable dans l'esprit des Français

115

l'idée de la supériorité de leur langue. (Il n'est pas inutile de rappeler que, malgré son statut privilégié, le français, à cette époque, n'est parlé que par cinq millions de personnes environ ; il est vrai qu'il s'agit de l'élite européenne.)

Aujourd'hui, le chauvinisme linguistique prend des formes moins élitaires. En trois siècles, le nombre de francophones est passé de cinq millions à au moins cent millions, beaucoup plus si on inclut les populations des états francophones d'Afrique (il faut savoir que dix à quinze pour cent tout au plus de ces populations parlent réellement bien le français). Pourtant, notre langue, comme chacun s'en rend compte désormais, est entrée dans une phase de déclin. D'où les tentatives de sensibilisation des masses auxquelles on assiste aujourd'hui et que traduit admirablement pour un public populaire cette chanson d'Yves Duteil : *la Langue de chez nous* :

> C'est une *langue belle* avec des *mots superbes*, qui *porte son histoire* à travers ses accents, où l'on sent *la musique* et le parfum des herbes, le fromage de chèvre et le pain de froment (...). C'est une langue belle et *à qui sait la défendre*, elle offre *les trésors de richesses infinies, les mots qui nous manquaient pour pouvoir nous comprendre et la force qu'il faut pour vivre en harmonie*, etc.

De triomphant, le chauvinisme est devenu défensif. C'est que la langue française est devenue à son

116

tour, comme tant de langues qu'elles a éliminées ou fait reculer au cours de son histoire, une espèce menacée.

Un Cajun de Louisiane déclarait récemment au cours d'un reportage télévisé — dans un français approximatif : « Nous sommes fiers de la langue française et nous voulons la conserver. » Quand les gens se sentent obligés de proclamer qu'ils sont fiers de leur langue, il y a des raisons de s'inquiéter pour la langue en question. Le français est condamné en Louisiane et la fierté vient trop tard. Est-ce qu'on entend jamais un Américain se proclamer fier de la langue anglaise ?

Une chose est sûre, en tout cas : la vitalité d'une langue, sa capacité à se répandre, à s'imposer, à conserver son terrain, n'est pas liée à de prétendues « qualités », qui lui seraient propres. Aucune langue n'est ni plus belle, ni plus logique, ni plus souple, ni plus facile, ni plus harmonieuse, ni plus efficace dans la communication qu'une autre. La vitalité d'une langue est le reflet fidèle de la vitalité des peuples qui la parlent.

Naturellement, cette vitalité a pris souvent, au cours de l'histoire, la forme du colonialisme et de l'impérialisme — économique, politique et culturel. Aucun peuple n'est mieux placé pour le comprendre que le peuple français, dont l'unité nationale et linguistique s'est faite au prix de la mort ou du recul des langues aujourd'hui qualifiées de régionales.

Catalogue des idées reçues sur la langue

Il faut s'en convaincre : le chauvinisme, la glorification de la langue française ne seront d'aucun secours dans le « combat » pour la francophonie. Le fait que le français se maintienne pour l'instant en Afrique (en tout cas parmi les élites) est lié *essentiellement*, malgré les déclarations sentimentales des dirigeants, à la valeur de notre langue sur le marché de l'emploi et dans les échanges économiques. Que demain l'aide des États-Unis se substitue à celle de la France et, en moins d'une génération, toutes les élites parleront l'anglais.

Une langue constitue, en quelque sorte, un capital. Si ce capital se dévalue, il devient urgent de s'en constituer un autre. Or, le capital « bonne connaissance du français standard » est dès à présent insuffisant sur le marché national même. Un bon logiciel conçu en français vaut mieux que tous les discours sur la beauté et la clarté du français.

Ce qui ne veut pas dire qu'on ne doit pas aimer sa langue maternelle !

Ce qui n'est pas clair
n'est pas français

L'étude des langues bien faites serait peut-être la meilleure logique.

TURGOT

La langue française est réputée claire et logique. *Clarté* et *logique* sont utilisés de façon interchangeable, mais est-ce bien la même chose ? Quand Rivarol proclamait au dix-huitième siècle : « Ce qui n'est pas clair n'est pas français », il voulait dire manifestement *logique*, c'est-à-dire conforme à l'ordre présumé naturel de la pensée. La clarté est pour lui constitutive de la langue française et place celle-ci au-dessus des autres langues.

« Ce que l'on conçoit bien s'énonce clairement », disait de son côté Boileau. C'est là un point de vue différent. Pour Boileau, il s'agit de la clarté de l'expression, c'est-à-dire de la *parole* d'un individu. Ceci n'est pas nécessairement lié à des qualités intrinsèques de la *langue*. Pour être « claire », une langue devrait être transparente, c'est-à-dire sans ambiguïté. Elle devrait effectuer des correspondances univoques

119

entre les formes et les fonctions. Ce qui n'est jamais le cas dans les langues naturelles, vouées au double sens, à l'équivoque, au malentendu. La clarté d'une langue procède donc d'une appréciation purement subjective.

Mais qu'en est-il de la logique proprement dite ?

La langue permet la mise en forme du raisonnement logique. Elle n'est pas nécessaire à son expression, pas plus qu'elle n'en est le reflet. Il est évident que, si les langues reflétaient une logique universelle, elles seraient toutes coulées dans le même moule. Le fait même que les langues divergent dans leur agencement, dans leurs catégories, nous interdit d'y voir un rapport avec la logique au sens philosophique du terme. Les gens qui ne parlent qu'une seule langue sont encore trop souvent persuadés qu'apprendre une langue c'est mémoriser une liste de mots, un dictionnaire bilingue à correspondances univoques. Telle était la conviction de nombreux inventeurs de langues pseudo-philosophiques. Au contraire, chez les gens qui sont conscients de la différence entre les langues, on entend souvent s'exprimer un préjugé selon lequel « telle langue est plus logique que telle autre », se référant ainsi à une logique « naturelle » qui serait un *étalon* auquel mesurer les langues. Ce qu'on oublie, c'est que l'organisation de sa langue maternelle est pour tout locuteur natif une donnée incontournable, et qu'il n'est guère susceptible d'interpréter cette organisation autrement que comme allant de soi.

Or, la logique, pour un non-philosophe, c'est justement « ce qui va de soi », « ce qui n'est pas à démontrer », ce qui ne viole pas l'enchaînement supposé naturel des effets et des causes. La grammaire scolaire nous conforte dans cet amalgame avec son « analyse logique ». On ne peut pas nier qu'il y ait une logique de l'agencement des énoncés, mais elle n'a rien à voir avec la logique comme art de raisonner.

En fait, non seulement la langue est indépendante de la logique, mais, mieux encore, elle permet de créer des énoncés contraires à la logique comme en témoigne le folklore enfantin : « Quelle est la couleur du cheval blanc d'Henri IV ? », « Prends un siège Cinna et assieds-toi par terre », etc.

Le jugement qui qualifie une langue de logique ou d'illogique est l'expression la plus pure du préjugé chauvin en matière de réflexion linguistique. Déjà les Grecs assimilaient la raison à la langue puisqu'ils ne disposaient que du seul mot *logos* pour les deux notions. L'époque classique a vu s'imposer l'idée que la langue française reflétait, plus que les autres, la « logique naturelle », idée qui est encore vivace aujourd'hui comme en témoignent ces propos de François Mitterrand, inaugurant l'exposition consacrée par la bibliothèque de Beaubourg à la langue française : « A propos de la langue française, il est difficile d'ajouter, après tant d'autres, des éloges tant de fois répétés sur sa rigueur, sa *clarté*, son élégance, ses nuances, la richesse de ses temps et de ses modes,

la délicatesse de ses sonorités, la *logique* de son ordon-
nancement... »

Mais que penser de la « logique » d'une langue qui
fait coïncider la tombée de la nuit avec la tombée du
jour, qui permet de dire : « Il risque de perdre », mais
aussi : « Il risque de gagner », qui place les adjectifs
tantôt à droite et tantôt à gauche du nom, qui emploie
le même temps — le présent — pour décrire des événements passés (le présent de narration), présents ou
futurs, qui use du même déterminant — l'article
défini — pour désigner l'individu : « *Le chat* (du voi-
sin) miaule », ou l'espèce : « *Le chat* miaule, par contre *le chien* aboie » ? Et que dire de la distribution
parfaitement arbitraire des genres masculin et féminin pour les noms de chose ? Comment justifier
rationnellement *la* chaise et *le* fauteuil, *la* lampe et
le lampadaire autrement que par cette équation émi-
nemment suspecte : grand = masculin ; petit = féminin ? Il est tout aussi vain de se lamenter sur tel ou
tel illogisme dans la langue que d'exalter son caractère pseudo-logique.

L'ordre des mots qui caractérise le français : *sujet,
verbe, objet*, peut paraître conforme à l'ordre naturel de la pensée. Je perçois un événement, j'en nomme
l'agent (sujet), puis je désigne l'action (verbe), puis
le patient (le complément d'objet direct). Issu d'une
langue, le latin, dans laquelle l'ordre des mots est
libre, le français a vu progressivement se figer sa
syntaxe dans l'ordre *SVO* par suite de la chute de ses

désinences casuelles. Au dix-septième siècle, l'ordre *SVO* était proclamé le plus logique et certains ont même voulu nier sur cette base la filiation du français et du latin ! Les langues, fort nombreuses, qui ne sont pas prisonnières de cet ordre fixe étaient qualifiées de déviantes et leurs constructions d'inversées. Or, il n'est même pas exact que l'ordre *SVO* soit obligatoire en français. C'est vrai, oui, si on prend *sujet* et *objet* au sens strictement syntaxique de « position dans l'énoncé » : il existe une position *sujet*, à gauche du verbe, sauf dans les constructions dites justement « inversées » (exclamatives, interrogatives), et cette place doit nécessairement être remplie, ne serait-ce que par un *il* impersonnel. Il existe une position *objet*, à droite de ce même verbe. Ceci est une contrainte absolue de la langue.

Mais, si on prend *sujet, verbe, objet* au point de vue du *sens* et non plus de la *syntaxe*, c'est-à-dire comme renvoyant à l'*agent*, à l'*action*, au *patient*, on s'aperçoit alors que le français dispose de moyens qui lui permettent de mettre en avant l'objet ou même le verbe et de rejeter dans l'ombre le sujet. Ces moyens sont les constructions *disloquées* et *clivées*, si courantes dans la langue parlée, et dont la fonction est de mettre en relief le membre le plus important de la relation *SVO*. Mise en relief que d'autres langues effectuent autrement, par l'intonation en anglais, par le changement de l'ordre des mots dans les langues à déclinaisons comme le russe ou le latin.

124

Ce qui n'est pas clair n'est pas français

Prenons la phrase française : *Natacha caresse son chat*. En russe on pourra avoir au choix :

son chat caresse Natacha

Natacha caresse son chat

caresse son chat Natacha

son chat Natacha caresse

caresse Natacha son chat, etc.

puisque l'ordre est libre. Néanmoins, ces traductions ne sont pas équivalentes en termes de *mise en relief*. En français, on pourra dire (en faisant appel à des constructions disloquées) :

Natacha, son chat, elle le caressse

son chat, Natacha, elle le caresse

elle le caresse, son chat, Natacha

elle le caresse, Natacha, son chat, etc.

Bien sûr, on retrouve toujours la structure obligatoire *SVO*, grâce au doublement du nom par un pronom (*elle, le*), mais *caresse, Natacha* et *son chat* sont bien *mobiles*. On a donc la possibilité de produire des énoncés de *contenu propositionnel* identique mais de *sens* légèrement différent. C'est la même chose avec les formes clivées : « *c'est* Natacha *qui...* », « *c'est* son chat *que...* » Ce n'est pas un hasard si ces constructions se sont développées en français avec la perte des flexions. Il fallait bien trouver un moyen de contrer la fixité de la syntaxe positionnelle. Ces moyens relèvent plus de l'oral que de l'écrit, certes. Mais phrases disloquées comme phrases clivées sont bien des phrases françaises grammaticales et légitimes. L'enfant d'âge préscolaire ne sait d'ailleurs pas s'exprimer autrement.

La langue, inéluctablement, nous impose un *ordre linéaire* de l'expression. Les deux mots sont d'ailleurs inséparables. Ils impliquent qu'il y a un point d'origine et un point d'arrivée. Or, lorsque nous appréhendons un événement, nous ne le faisons pas de façon linéaire, mais de façon globale. Il ne saurait donc y avoir d'ordre naturel.

Vouloir à tout prix que certaines langues soient plus logiques que d'autres revient à nier l'unicité du langage humain par-delà la diversité des différentes langues naturelles. Il est probable — les recherches contemporaines vont dans ce sens — qu'une même organisation régit, en profondeur, toutes les langues humaines. Si logique il y a, c'est d'une logique spécifiquement linguistique qu'il s'agit, et on doit la rechercher au fondement du langage lui-même.

Qu'est-ce qu'une langue difficile ?

> Je ne vois pas qu'on doive estimer
> une langue plus excellente que
> l'autre, seulement pour être plus
> difficile.
>
> JOACHIM DU BELLAY

« On peut dire qu'une langue est difficile dans la mesure où il faut de longues années d'école avant que les natifs la manient à la satisfaction générale. En ce sens, le français est peut-être la langue la plus difficile du monde. »

Surprenant jugement de la part d'un linguiste [1], même s'il est tempéré par l'adverbe *peut-être*. On pourrait en dire autant de toutes les langues *littéraires*, c'est-à-dire les langues dotées d'une variété écrite sensiblement distincte des variétés orales. Plus ancienne est la tradition, plus important est le fossé qui sépare la langue écrite de la langue orale. On ne voit pas bien ce qui distingue de ce point de vue notre langue du grec moderne littéraire (*katharevousa*) ou

---

1. A. Martinet dans *le Français sans fard*, Paris, PUF, 1969.

de l'arabe *littéral* (celui du Coran et des lettrés par opposition aux dialectes modernes, qui ne sont pas écrits). On peut s'interroger, par contre, sur le sens de l'expression « à la satisfaction générale ». Ce terme recouvre manifestement les instances scolaires — les maîtres — et, dans une moindre mesure, les parents. C'est vrai, l'enseignement de la langue française est sans doute l'un des plus normatifs qui soient.

Quoi qu'il en soit, le jugement du linguiste rejoint ici une opinion très largement partagée dans notre pays. Opinion d'ailleurs plutôt positive et qui est un motif de fierté ! « Ah ! c'est que notre langue est difficile ! » sous-entend : « riche en subtilités et en nuances par rapport à d'autres langues plus simples ». Naturellement, d'autres langues sont réputées difficiles, à l'exception de l'anglais, considéré — à tort — comme facile. Les langues étrangères sont classées sur une échelle de difficulté décroissante. En ce qui concerne celles qui sont enseignées dans le système de l'enseignement secondaire, l'ordre est *grosso modo* le suivant : chinois, arabe, russe, allemand, portugais, espagnol, italien. L'anglais occupe une place à part, puisque tout le monde l'apprend, qu'il est classé facile et que néanmoins les Français ne sont pas « doués » pour cette langue. Là, on voit clairement que la difficulté d'une langue est relative à l'éloignement et à la différence des groupes linguistiques. On conçoit aisément que le russe soit facile pour les Slaves, que l'allemand soit facile pour les peuples germaniques, de même que les langues romanes sont faciles pour les Français. On sait que les langues se regroupent par familles, même si ces regroupements, sur le plan scientifique, laissent encore à désirer lorsqu'il s'agit de langues moins bien connues que les langues indo-européennes.

Mais existe-t-il des critères de mesure objective de la difficulté d'une langue, ou plutôt de sa *complexité*? Là est toute la question. On ne peut y répondre qu'à partir d'une réflexion d'ensemble sur le simple et le complexe ; ce qui nous oblige à nous demander si une telle opposition a un sens, dans le cas d'une langue naturelle.

Yabon
Banania

> Le langage des enfants, comme celui des primitifs et des femmes, est très imagé, figuré.
>
> CHARLES NODIER

> C'est la langue qui a besoin d'être simple, et les opinions un peu compliquées.
>
> JEAN PAULHAN

« Ah ! vous faites du wolof ? Ça doit être une langue assez simple, non ? »

L'équation raciste entre langue simple, langue « primitive » et langage enfantin a la vie dure. Au dix-neuvième siècle, des linguistes ont cherché à prouver que le processus d'acquisition du langage chez l'enfant récapitule l'évolution du langage au cours de l'histoire de l'humanité ; les langues des populations « évoluées » étaient dès lors considérées comme les plus *complexes* et les langues des peuples « arriérés » comme *simples* pour ne pas dire simplettes. La simplicité était donc posée comme celle des origines. Cette théorie est bien entendu abandonnée depuis

131

longtemps. Ce qu'on souligne aujourd'hui, c'est que les traits les plus universels dans les langues du monde, ceux qu'on retrouve le plus fréquemment, sont également ceux que l'enfant acquiert en premier et que l'aphasique perd en dernier.

La simplicité est un terme qui peut supporter deux types de connotations : elle est positive si on considère qu'une langue simple se distingue par l'élégance et l'économie de moyens ; elle est négative si elle équivaut à la pauvreté expressive, à l'absence de subtilité et de nuances. Mais il s'agit là encore une fois de jugements de valeur subjectifs.

La distinction entre langue simple et langue complexe a-t-elle un fondement scientifique ?

L'observation des *pidgins* et des *créoles* nous fournit des éléments de réponse. Les pidgins sont des langues hybrides destinées à assurer une communication minimale, de type utilitaire, entre groupes de locuteurs ne disposant pas d'une langue commune. Les pidgins surgissent généralement dans des situations de domination de type colonial ou néo-colonial, c'est pourquoi la base en est le plus souvent une langue européenne (anglais, français, espagnol, portugais) croisée avec une ou plusieurs langues de populations dominées. Le pidgin, né pour répondre à des besoins de communication précis, peut mourir dès l'instant où disparaissent ces besoins. En effet, il n'est jamais une langue maternelle pour ses locuteurs, mais toujours une langue seconde, de pure commodité. La formation des pidgins, partout où elle est attestée — Antilles, Afrique, océan Indien, océan Pacifique, Hong Kong, mer du Nord (où a existé au dix-neuvième siècle un pidgin russo-norvégien) —, semble obéir aux même lois de base. On peut parler d'*universaux de simplification*. Simplification phonétique, réduction très forte du lexique, simplification surtout de la morphologie : plus de conjugaisons, plus de distinctions de genre ni de nombre ; au lieu de mots dérivés par des préfixes ou des suffixes, on trouve des mots composés par juxtaposition : ainsi *grass bilong head* (herbe appartient tête) désigne les cheveux en néo-mélanésien. La syntaxe devient strictement positionnelle et se réduit à quelques schémas fixes. On peut dire de ces langues qu'elles sont *simples* dans la mesure où elles utilisent des moyens réduits pour répondre à des besoins réduits.

Plusieurs théories s'affrontent pour expliquer la genèse des pidgins. Sans entrer ici dans le détail des différentes hypothèses avancées, je voudrais souligner de la façon la plus ferme que l'hypothèse raciste de l'incapacité génétique des populations mises en contact avec les puissances coloniales à apprendre à parler « correctement » les langues de celles-ci (la théorie du « petit-nègre ») est exclue. D'ailleurs, les pidgins ne sont pas nécessairement issus de langues indo-européennes. Il existe des variétés pidginisées de différentes langues africaines à vocation véhiculaire.

Là où les avatars de l'histoire ont fait que les pidgins se sont *nativisés*, c'est-à-dire ont acquis le statut de langue maternelle pour des populations n'ayant pas d'autre langue à leur disposition, on a vu émerger des créoles. Le créole, comparé au pidgin, est une langue à part entière, quel que soit son statut sociopolitique. Il doit pouvoir assumer toutes les fonctions d'une langue, la fonction de communication bien sûr, mais aussi des fonctions esthétiques, ludiques, rituelles et — pourquoi pas? — officielles (comme langue administrative et scolaire). Il devient la langue d'une communauté homogène à qui il confère son identité. Il perd par là même son rôle véhiculaire.

Or, le processus de créolisation entraîne le retour à la complexité d'une langue naturelle. Le créole, par rapport au pidgin dont il est issu, est « difficile ». Des catégories grammaticales évacuées, telles que le temps ou l'aspect ou le mode, réapparaissent, des procédés de dérivation nouveaux enrichissent le lexique, des expressions idiomatiques, des tours syntaxiques surgissent.

Toute langue naturelle est à la fois simple et complexe. Les langues qui ont une morphologie compliquée, c'est-à-dire des conjugaisons, des déclinaisons, des systèmes de dérivation exigeant un apprentissage long, sont réputées difficiles. Cependant, la complexité de la morphologie est en général compensée par une simplicité de la syntaxe. Une langue à morphologie pauvre comme le chinois n'est pas facile pour autant, bien qu'on ait pu dire, à cause de l'invariabilité des mots et de l'absence de marqueurs de classes grammaticales, que c'était « une langue sans grammaire » ! La difficulté (relative) d'une langue peut aussi être attribuée à l'irrégularité, à l'ambiguïté, au foisonnement des synonymes et des homonymes, mais ce sont là des caractéristiques inhérentes au langage humain.

Ainsi donc, si certaines langues peuvent être « baragouinées » assez rapidement parce qu'elles ont une morphologie pauvre (c'est le cas de l'anglais par exemple et même du chinois), alors que d'autres supportent mal une utilisation « minimale » (le russe), le fait même que tous les enfants du monde mettent sensiblement le même temps à acquérir la maîtrise de leur langue maternelle indique qu'un subtil équilibre s'instaure dans toute langue entre le simple et le complexe.

Les belles
étrangères

Un langage sonore aux douceurs
souveraines,
Le plus beau qui soit né sur des
lèvres humaines.

ANDRÉ CHÉNIER

Ah! le russe, quelle belle langue! Ah! l'italien,
quelle musique… et le malgache…, si vous pouviez
l'entendre!

Peut-on dire qu'une langue est belle? La question
n'a pas grand sens pour un linguiste — elle échappe
en tout cas au champ de ses recherches —, mais il
n'est pas interdit pour autant de se la poser.

Une langue est une forme et, comme toute forme,
elle peut être soumise à une appréciation esthétique.
Un objet usuel peut fort bien être beau tout en étant
fonctionnel. Bien sûr, la fonction essentielle d'une
langue est de permettre la communication — mais
l'existence même de la poésie, du jeu de mots, dans
toutes les cultures, atteste que ce n'est pas la seule.

Vidé de sa fonction distinctive, qui lui permet de
produire du sens, le son linguistique devient un son
pur, un matériau musical comme en témoignent

diverses formes de poésie « désémantisée », ainsi que l'utilisation d'enregistrements en langues « exotiques », c'est-à-dire inconnues, par des musiciens. On parle par métaphore de « musique de la langue » et c'est en effet avant tout l'enveloppe sonore de celle-ci qui est soumise à des jugements de valeur esthétique. Il n'est pas besoin d'être locuteur de la langue en question, de la parler ni de la comprendre pour formuler ce type de jugement — au contraire. Quand j'entends dire que le russe est une belle langue par des gens qui ne le parlent pas, je ne me l'explique que par le fait que le russe produit une impression agréable à l'oreille grâce à ses caractéristiques rythmiques et phonétiques ; tout comme l'italien, qui bénéficie d'un préjugé particulièrement favorable en tant que langue de l'opéra (appréciation dans laquelle se mêlent l'amour de la musique et une certaine forme de snobisme : l'opéra est un genre noble). Le schéma accentuel du russe — l'alternance des temps forts et des temps faibles — n'est pas monotone comme celui du français. Les voyelles y sont nettes et bien différenciées, contrairement à celles de l'anglais par exemple. Les syllabes sont essentiellement ouvertes et produisent l'impression d'une alternance harmonieuse des consonnes et des voyelles. Enfin, les voyelles comme les consonnes sont très souvent palatalisées ou « mouillées » : ainsi la voyelle non mouillée /è/ s'oppose à la voyelle mouillée /yè/, la consonne non mouillée /t/ à son homologue mouillée /tye/, ce qui produit une sonorité particulièrement douce à entendre. Point de ces sons heurtés, gutturaux, de ces accumulations de consonnes qui semblent s'entrechoquer, qu'on rencontre dans les langues germaniques ou en tchèque. Point de ces clics provenant du fond de la glotte qui caractérisent nombre de langues africaines. Les voyelles nasales, si répandues en français, en sont également absentes. Or, il semble qu'une articulation nasale produise souvent une impression défavorable — c'est sans doute une des raisons qui font préférer généralement la prononciation britannique de l'anglais à la prononciation américaine, qualifiée de « nasillarde ».

En fait, il semble que l'oreille effectue un tri entre les sons qui semblent relever de la *musique* et ceux qui relèvent du *bruit*. Les voyelles sont plus musicales que les consonnes, et, parmi les consonnes, les *occlusives* (celles dont l'articulation s'accompagne d'une fermeture puis d'une ouverture brutale de la cavité buccale comme /p/, /t/, /k/, /b/, /d/, /g/) sont les moins musicales ; c'est ce qui explique que les onomatopées représentent des bruits, dans les bandes dessinées en particulier, soient essentiellement à base d'occlusives : *bing, bang, boum, beurk, cataclop, toc-toc, pim pam poum*, etc. De même, dans les romans de science-fiction, la langue des méchants, lorsque l'auteur se donne la peine de nous en donner un échantillon, est délibérément rendue imprononçable et désagréable. Voici comment s'expriment, par exemple, les habitants de la planète Nazar : « *Spik antik flok skak mak tab milahat* [1]. »

L'appréciation de musicalité se fonde aussi sur la présence ou l'absence de traits démarcatifs dans la chaîne parlée. Les langues à liaison, dans lesquelles les mots semblent se fondre les uns dans les autres en un flot continu (c'est le cas en français, mais aussi en malgache et en hindi par exemple) paraissent plus musicales pour une oreille étrangère. Inversement, les langues qui, comme le tchèque, l'arabe ou le wolof, font usage de traits démarcatifs tels que coups de glotte, consonnes implosées en début ou en fin de mot, accent d'intensité signalant des frontières de mots, donnent une impression de débit haché qui peut paraître désagréable et donc antimusical.

Des critères idéologiques interviennent également. Les Français ne trouvent pas généralement que l'allemand soit beau à entendre, non plus que l'arabe. Les Wolofs trouvent l'arabe beau et musical, à la fois parce qu'il est plus proche d'eux phonétiquement et parce que c'est la langue de leur religion (ils n'en connaissent souvent que les versets du Coran appris par cœur).

Enfin, il faut savoir que les différentes langues parlées dans le monde n'utilisent pas les mêmes fréquences acoustiques. Or, l'oreille de chacun est conditionnée par sa langue maternelle ou les langues qui lui sont les plus familières. Cela explique que cer-

1. L. de Holberg, *Nils Klim dans les planètes souterraines*, Paris, 1741.

tains sons utilisant des fréquences étrangères ne sont tout simplement pas perçus ou produisent une impression de brouillage, comme une radio mal réglée.

Mais la beauté peut aussi qualifier l'organisation même de la langue, autrement dit les moyens qu'elle met en œuvre pour produire du sens. Il est évident dans ce cas qu'on ne saurait porter ce jugement que sur une langue connue et aimée — la langue maternelle souvent, ou bien encore une langue étrangère qu'on a choisi d'apprendre, avec laquelle on se sent des affinités. L'appréciation de beauté rejoint alors d'autres appréciations tout aussi subjectives sur la logique, la clarté, la richesse. La langue est pour bien des locuteurs un objet d'amour. Il est donc naturel de la voir ou de la vouloir belle.

On peut aussi admirer, à juste titre, les effets esthétiques que tirent de la langue poètes et littérateurs. C'est alors la littérature qui est belle et non la langue en soi. En effet, les différents moyens expressifs dont dispose le poète — rime finale, longueur des voyelles, accentuation, allitérations, assonances — sont entièrement conditionnés par le système de la langue. Ainsi la base de la versification française est la rime, alors qu'en latin c'était la longueur syllabique. C'est que le français a perdu l'opposition de longueur dans son système de voyelles (jusqu'au début de ce siècle, on distinguait encore *maître* de *mettre*).

Pour en savoir plus

Cette promenade dans le domaine des idées reçues et préjugés sur la langue m'a servi de prétexte, comme on a pu s'en rendre compte, pour faire une mise au point, rapide et simplifiée, sur les questions qui occupent aujourd'hui les linguistes. J'espère avoir ce faisant attisé la curiosité de mes lecteurs, qui souhaiteront peut-être approfondir leurs connaissances sur certains points que je n'ai fait qu'effleurer. Au lieu de présenter une bibliographie traditionnelle, je propose ici aux esprits curieux un choix de lectures groupées par thème et cotées par difficulté croissante. Une étoile signale les ouvrages faciles à lire sans aucune formation; deux étoiles les ouvrages accessibles à un lecteur familiarisé avec les sciences humaines; trois étoiles indiquent que l'ouvrage s'adresse aux spécialistes.

Sur les notions de langue et de langage

F. de Saussure, ** *Cours de linguistique générale*, Paris, Payot (réédité constamment depuis 1915).
E. Benveniste, ** *Problèmes de linguistique générale*, t. I et II, Paris, Gallimard, 1966 et 1974.
M. Yaguello, * *Alice au pays du langage*, Paris, Éd. du Seuil, 1981.

Pour en savoir plus

Sur les langues véhiculaires

L.-J. Calvet, * *Les Langues véhiculaires*, Paris, PUF, coll.
« Que sais-je ? » n° 1916, 1981.

Sur le statut des langues africaines et du français en Afrique

P. Dumont, ** *Le Français et les Langues africaines au
Sénégal*, Paris, Karthala, 1983.
G. Manessy et P. Wald, * *Le Français en Afrique noire*,
Paris, L'Harmattan, 1984.
P. Dumont, * *L'Afrique noire peut-elle encore parler
français ?*, Paris, L'Harmattan, 1986.

Sur les politiques linguistiques

L.-J. Calvet, * *Linguistique et Colonialisme*, Paris, Payot,
1974.
M. de Certeau *et al*, ** *Une politique de la langue*, Paris,
Gallimard, 1975.
C. Hagège et I. Fodor, ** *La Réforme des langues : his-
toire et avenir*, Hambourg, Buske, 1983.
J. Maurais (sous la direction de), ** *La Crise des langues*,
Paris, Le Robert, 1985.
M.-P. Gruenais (sous la direction de), ** *États de langue*,
Paris, Fayard, 1986.

Sur le conditionnement acoustique par la langue maternelle

A. Tomatis, * *L'Oreille et le Langage*, Paris, Éd. du Seuil,
1963.

146

Sur le développement culturel du langage

L. Malson, * *Les Enfants sauvages*, Paris, UGE, 1964.

Sur le plurilinguisme comme fait de société

W.F. Mackey, ** *Bilinguisme et Contact des langues*, Paris, Klincksieck, 1976.
G. Manessy et P. Wald, ** *Plurilinguisme : normes, situations, stratégies,* Paris, L'Harmattan, 1979.

Sur l'histoire et le destin de la langue française

M. Cohen, ** *Histoire d'une langue, le français*, Paris, Éd. Sociales, 1967.
J.-P. Caput, ** *La Langue française, histoire d'une institution*, Paris, Larousse, 1972.
J. Allières, *** *La Formation de la langue française*, Paris, PUF, coll. « Que sais-je ? » n° 1907, 1982.
E. Genouvrier, * *Naître en français*, Paris, Larousse, 1986.
C. Hagège, * *Le Français et les Siècles*, Paris, Odile Jacob, 1987.

Sur les langues indo-européennes

A. Martinet, ** *Des steppes aux océans, l'indo-européen et les « indo-européens »*, Paris, Payot, 1986.

Pour en savoir plus

Sur la distinction entre langue et dialecte et la variation sociale dans la langue

J. Fishman, ** *Sociolinguistics*, Rowley, Mass., Newbury House, 1970.

W. Labov, ** *Socio-linguistique*, Paris, Éd. de Minuit, 1973.

P. Trudgill, * *Sociolinguistics, an Introduction to Language and Society*, Londres, Penguin, 1974.

J. Garmadi, ** *La Sociolinguistique*, Paris, PUF, 1981.

Sur le parler vernaculaire noir américain

R. Burling, ** *English in Black and White*, New York, Holt, Rinehart and Winston, 1973.

W. Labov, ** *Le Parler ordinaire*, Paris, Éd. de Minuit, 1978.

Sur les créoles et pidgins

D. Hymes (éd.), ** *Pidginization and Creolization of Languages*, Cambridge, Mass., Cambridge University Press, 1971.

A. Valdman, ** *Le Créole : structure, statut et origine*, Paris, Klincksieck, 1979.

Sur les mythes et utopies linguistiques (de la tour de Babel à l'espéranto)

M. Yaguello, ** *Les Fous du langage - des langues imaginaires et de leurs inventeurs*, Paris, Éd. du Seuil, 1984.

Sur le changement linguistique

A. Martinet, *** *Économie des changements phonétiques*, Berne, A. Francke, 1955.
A. Martinet, ** *Le Français sans fard*, Paris, PUF, 1969.
A. Martinet, *** *Évolution des langues et Reconstruction*, Paris, PUF, 1975.

Sur la logique et la langue

J. Lyons, *** *Sémantique linguistique*, Paris, Larousse, 1980.
C. Hagège, ** *L'Homme de paroles*, Paris, Fayard, 1985.

Sur les rapports entre langue, pensée et réalité

B.J. Whorf, ** *Linguistique et Anthropologie*, Paris, Denoël, 1969.
M. Yaguello, * *Les Mots et les Femmes*, Paris, Payot, 1978.

Sur la spécificité des langues et les problèmes de la traduction

R. Jakobson, ** *Essais de linguistique générale*, Paris, Éd. de Minuit, 1963.
G. Steiner, * *Après Babel*, Paris, Albin Michel, 1978.

Sur l'hypercorrection et l'insécurité linguistique

P. Bourdieu, ** *Ce que parler veut dire*, Paris, Fayard, 1982.

Glossaire

Aspect : expression linguistique du mode de déroulement de l'action exprimée par le verbe (ponctuel, habituel, accompli, inaccompli, etc.). Dans nombre de langues, cette catégorie est plus importante que le temps grammatical.

Autonomie : le fait, pour une langue, de constituer une entité séparée ; est liée à la standardisation (*voir ce mot*).

Catégories linguistiques : expression morphologique et/ou syntaxique de certains concepts sémantiques tels que le nombre, le genre, le temps, l'aspect, le degré de détermination (défini/indéfini), la personne, etc.

Comparatiste : voir *Grammaire historique et comparée.*

Compétence : ensemble des règles intériorisées par le locuteur natif et constituant sa grammaire interne.

Connotation : « parasitage » du sens d'un mot par association avec des attributs ou qualités du référent (l'objet désigné). La connotation peut être positive ou négative.

Continuum (dialectal) : espace de variation continue qui constitue le territoire d'une langue ; il peut être géographique ou social.

153

Glossaire

Créole : pidgin nativisé. Devenu une langue à part entière, il n'est plus une langue véhiculaire seconde mais une langue vernaculaire maternelle.

Désinence : dans les langues flexionnelles (*voir Flexion*), terminaison casuelle (noms) ou temporelle-personnelle (verbes).

Diachronie (étude de la langue en) : étude de l'histoire de la langue.

Dialecte : 1) au sens linguistique : variété d'une langue ; 2) au sens sociolinguistique : parler vernaculaire non normé et le plus souvent non écrit n'ayant pas le statut de langue.

Diglossie : utilisation en alternance, dans une même communauté de locuteurs, de deux dialectes d'une même langue dont l'un représente la variété « haute » (la langue standard, à statut national et/ou officiel) et l'autre la variété « basse » (le vernaculaire), par exemple le schwyzertüütsch et l'allemand standard en Suisse. Par extension, toute situation où une langue dominante est parlée en alternance avec une langue dominée, même non apparentée.

Famille de langues : ensemble de langues dites *génétiquement apparentées* (auxquelles on suppose une origine commune).

Flexion : ce terme recouvre les *déclinaisons*, c'est-à-dire la variation d'un même nom, pronom ou adjectif selon sa fonction dans la phrase (le cas) et les *conjugaisons* du verbe.

Fragmentation dialectale : processus de différenciation d'une langue dont les locuteurs sont dispersés ou socialement séparés.

Grammaire : 1) *prescriptive* : grammaire scolaire de type traditionnel qui formule des règles à suivre pour produire des énoncés conformes au bon usage ou à la norme ; 2) *descriptive* : description (sans aucune visée normative)

154

des formes attestées dans une langue à partir d'un corpus d'énoncés ; 3) *historique et comparée* : fondée au dix-neuvième siècle, elle a pour but de comparer les formes de langues apparentées et de retracer leur évolution (voir *Diachronie*).

Hypercorrection : attitude qui consiste à substituer à une forme supposée à tort incorrecte une forme supposée plus correcte ; exemple : les fausses liaisons (*voir Insécurité linguistique*).

Indénombrable : pour un nom, le fait d'échapper à l'opposition singulier/pluriel (ex. *baggage* en anglais).

Indo-européen : ensemble de langues apparentées parlées de l'Inde à l'Irlande. A servi de fondement à la notion, fausse, de race indo-européenne ou aryenne.

Informateur natif : locuteur natif appelé à collaborer avec un linguiste qui travaille sur sa langue.

Insécurité linguistique : le fait pour un locuteur d'avoir intériorisé son exclusion du bien-parler.

Intuition (du locuteur natif) : ce qui permet au locuteur natif de formuler des jugements d'acceptabilité sur des énoncés produits dans sa langue maternelle sur la base de son sentiment linguistique. La grammaire normative peut interférer avec cette intuition.

Intercompréhension : compréhension mutuelle entre locuteurs de dialectes d'une même langue.

Langue : 1) *artificielle* : par opposition à une langue naturelle, langue fabriquée (type espéranto), souvent à visée de communication internationale ou bien langage formel de l'informatique (fortran, basic, etc.) ; 2) *nationale* : ayant un statut national, c'est-à-dire reconnue comme expression d'une ethnie faisant partie de la nation ; 3) *naturelle* : dont la transmission, dans un cadre culturel donné, se fait dans des conditions qui semblent « naturelles » ; elle n'est pas pour autant donnée par la nature ; au sens le plus courant de ce mot, *langue* veut toujours dire *langue naturelle* : le français, le turc, etc. ; 4) *officielle* : ayant un statut qui en fait le mode d'expression du gouvernement, de l'administration et souvent de l'école ; ce n'est pas nécessairement une langue nationale ; elle est souvent parlée par une minorité comme c'est le cas du français en Afrique. La coïncidence de la langue officielle avec la langue nationale suppose une nation unifiée de longue date ; 5) *véhiculaire* : qui permet à des peuples de langues différentes de communiquer (exemple : l'anglais) ; 6) *vernaculaire* : dont la diffusion est limitée à ses locuteurs natifs ; c'est le cas des dialectes non standardisés et des « petites langues » (en nombre de locuteurs).

Lexicographie : activité de dénombrement, de classement et de définition des mots d'une langue sous la forme de dictionnaires.

Locuteur : sujet parlant ; 1) *natif* : qui parle avec une aisance totale une langue acquise dans la petite enfance ; 2) *naïf* : non spécialiste, qui n'exerce pas consciemment une activité de réflexion sur la langue.

Métaphore : figure de style qui consiste en un transfert de sens sur la base d'une ressemblance (exemple : les *ailes* de l'oiseau → les *ailes* de l'avion).

Métonymie : figure de style qui consiste en un transfert de sens de la partie sur le tout, de la matière sur l'objet, du contenant sur le contenu, etc. (exemple : stylo à plume de *feutre* → *feutre*).

Morphologie : organisation de la forme des mots ; étude des flexions, des procédés de dérivation, de composition.

Néologisme : mot nouveau créé à partir de racines existant dans la langue.

Onomatopée : mot suggérant par imitation phonétique la chose désignée ; exemple : *cocorico* pour le cri du coq.

On a cherché autrefois à prouver que le langage avait une origine onomatopéique.

Patois : dans le langage courant, forme de langue corrompue et grossière. Les linguistes tendent à éviter ce terme connoté péjorativement et lui préfèrent le terme de parler vernaculaire.

Phonétique : étude de la réalisation des sons d'une langue et de leur variation ; les dialectes d'une même langue peuvent se distinguer par des traits phonétiques. La variation peut aussi être liée aux sons avoisinants.

Phonologie : étude des sons d'une langue en tant qu'ils constituent un système d'oppositions distinctives (permettant de distinguer des mots entre eux). C'est sur cette base que l'on fait le décompte des *phonèmes* d'une langue.

Pidgin : langue hybride destinée à assurer la communication entre locuteurs ne disposant pas d'une langue commune. C'est toujours une langue seconde. Elle peut évoluer vers un créole.

Politique linguistique : aménagement concerté : 1) de la place ou du statut de langues en présence sur un même territoire ; 2) de la structure des langues elles-mêmes (standardisation, transcription, création de mots, etc.).

Proto-langue : langue mère d'une famille de langues obtenue par reconstruction. La proto-langue indo-européenne n'est pas attestée mais hypothétique.

Réfection analogique : régularisation d'une forme irrégulière par analogie avec une forme régulière (exemple : *réceptionner* au lieu de *recevoir*).

Sabir : langue déformée parlée unilatéralement par un groupe mal acculturé. Le sabir peut évoluer vers un pidgin.

Sémantique : qui concerne le sens.

Standardisation : délimitation d'un parler par imposition de normes; va de pair avec autonomie et culture écrite. On parle alors de variété standard.

Substrat : la trace, dans une langue A, d'une langue B parlée précédemment sur le même territoire.

Syllabation : 1) *ouverte* : la syllabe se termine par une voyelle; 2) *fermée* : la syllabe se termine sur une consonne. Les langues où domine la syllabation ouverte sont souvent appréciées comme étant musicales.

Synchronie (étude de la langue en) : étude d'une langue à un moment donné de son histoire; une description synchronique est une sorte de photographie. Elle fige un système qui par définition évolue sans cesse.

Syntaxe : ensemble des règles qui président à l'organisation des phrases dans une langue. *Syntaxe positionnelle* : dans laquelle les relations entre les mots, c'est-à-dire les fonctions, se déduisent de leur position dans la phrase.

Typologie (linguistique) : classement des langues sur la base de caractéristiques formelles telles que la présence ou l'absence de flexions, de procédés de dérivation, de prépositions, le type de syntaxe (ordre fixe ou ordre libre), etc.

Universaux (de langage) : traits posés comme étant communs à toutes les langues.

Volontariste (action) : *voir Politique linguistique.*

Annexe

La francophonie à la fin du 20ᵉ siècle

Vancouver
QUÉBEC
ST-PIERRE
ET-MIQU
Louisiane
GUADELOU
Dominique
HAITI
MARTINIQU
Ste-Lucie
GUYAN
POLYNÉSIE
FRANÇAISE

Pays où le français est langue maternelle ou officielle

Pays où le français est langue d'enseignement privilégiée

▼ Minorités francophones

□ Créole à base française

⌐⌐ Région couverte par les émissions de Radio-France-Internatio

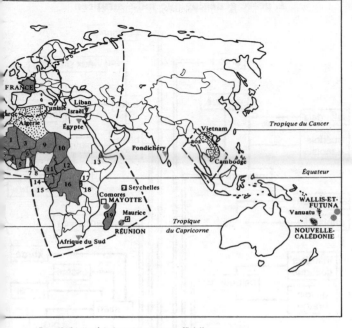

Pays d'Afrique où le français est langue officielle :

1. Mauritanie	11. Cameroun
2. Sénégal	12. République Centrafricaine
3. Mali	13. Djibouti
4. Guinée	14. Gabon
5. Côte-d'Ivoire	15. Congo
6. Burkina Faso	16. Zaïre
7. Togo	17. Ruanda
8. Bénin	18. Burundi
9. Niger	19. Madagascar
10. Tchad	

D'après Atlas 2000, *Nathan.*

L'arbre généalogique indo-européen

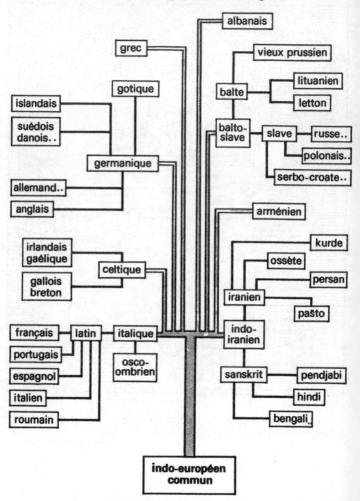

Cet arbre généalogique reflète les connaissances et les opinions généralement admises vers la fin du XIXe siècle. N'y figurent ni le tokharien, ni le hittite. Les points de suspension rappellent les langues qui n'ont pu être mentionnées faute de place, comme le néerlandais ou le tchèque.

D'après André Martinet, *Des steppes aux océans*, Paris, Payot, 1986, p. 107.

Les grandes zones dialectales en France

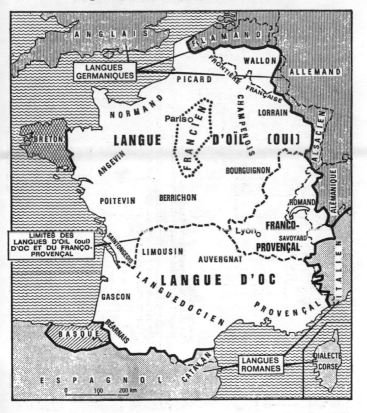

D'après Marcel Cohen, *Histoire d'une langue - le français*, Paris, Messidor-Éditions sociales, 1967, p. 81.

Table

Chez d'autres éditeurs

Les Mots et les Femmes
Payot, 1978
et rééd. « Petite Bibliothèque Payot » n° 75, 1992

Grammaire exploratoire de l'anglais
Hachette, 1991

J'apprends le wolof (Damay jang wolof)
(en coll. avec Jean-Léopold Diouf)
Karthala, « Hommes et sociétés », 1991

Subjecthood and Subjectivity
(collectif)
Ophrys, 1994

Language Through The Looking-Glass
Oxford University Press, 1998

RÉALISATION : CHARENTE-PHOTOGRAVURE À L'ISLE-D'ESPAGNAC
BRODARD ET TAUPIN À LA FLÈCHE
DÉPÔT LÉGAL : JUIN 2004. N° 66966 (24356)
IMPRIMÉ EN FRANCE

Collection Points

DERNIERS TITRES PARUS